A CORAGEM DE SER VOCÊ MESMO

BRENÉ BROWN

A CORAGEM DE SER VOCÊ MESMO

Tradução
Guilherme Bernardo

12ª edição

Rio de Janeiro | 2025

CIP-BRASIL. CATALOGAÇÃO NA PUBLICAÇÃO
SINDICATO NACIONAL DOS EDITORES DE LIVROS, RJ

Brown, Brené
B897c A coragem de ser você mesmo: como conquistar o verdadeiro pertencimento sem
12ª ed. abrir mão do que você acredita / Brené Brown; tradução Guilherme Bernardo. – 12ª ed. – Rio de Janeiro: Bestseller, 2025.

Tradução de: Braving the wilderness: the quest for true belonging and the courage to stand alone
ISBN 978-85-465-0225-7

1. Identidade social. 2. Coragem. 3. Individualidade. I. Bernardo, Guilherme. II. Título.

CDD: 302.54
20-63488 CDU: 316.37

Meri Gleice Rodrigues de Souza – Bibliotecária – CRB-7/6439

Texto revisado segundo o novo Acordo Ortográfico da Língua Portuguesa.

Título original
BRAVING THE WILDERNESS

Impresso no Brasil

ISBN 978-85-465-0225-7

Ao meu pai: Obrigada por insistir que eu sempre erga
a voz e opine — mesmo que depois você discorde de tudo.

SUMÁRIO

um QUALQUER LUGAR E LUGAR ALGUM

Quando começo a escrever, inevitavelmente me sinto tomada pelo medo. Sobretudo quando percebo que as descobertas da minha pesquisa vão confrontar crenças ou ideias há muito arraigadas. Quando isso acontece, logo penso: *Quem sou eu para dizer uma coisa dessas?* Ou ainda: *Vou deixar as pessoas bem irritadas se questionar suas ideias.*

Nesses delicados e incertos momentos de vulnerabilidade, procuro inspiração nos bravos inovadores e disruptores, com sua coragem contagiante. Leio e assisto tudo o que consigo encontrar lançado por eles ou sobre eles — cada entrevista, ensaio, palestra e livro. Assim, quando preciso deles, quando o medo me domina, esses caras vêm sentar comigo e me incentivam a continuar. Ainda mais importante é o fato de que, enquanto espiam por cima do meu ombro, eles têm tolerância quase zero com as minhas bobagens.

Levou tempo para desenvolver esse processo. No começo, eu tentava a abordagem oposta — enchia minha cabeça de críticos e pessimistas. Eu me sentava diante da mesa e visualizava o rosto dos professores de que menos gostava, meus colegas mais ácidos e cínicos, e meus críticos on-line mais impiedosos. *Se eu conseguir que fiquem felizes*, pensava, *ou pelo menos calados, vou estar pronta para começar.* O resultado era o pior possível para qualquer pesquisador ou cientista social: descobertas gentilmente reajustadas para enxergar o mundo de um jeito já conhecido; descobertas que cautelosamente cutucavam ideias já estabelecidas, mas sem irritar ninguém; descobertas seguras, pasteurizadas e inofensivas. Mas nada disso era autêntico. Era um mero tributo a ser pago.

Decidi então me livrar daqueles pessimistas e alarmistas. No lugar deles, passei a conjurar homens e mulheres que moldaram o mundo com sua coragem e criatividade. E que, pelo menos em uma ocasião, conseguiram irritar alguém. Eles formam um grupo bem variado. J.K. Rowling, autora da minha amada série literária "Harry Potter", é a pessoa a quem recorro quando preciso introduzir um novo e estranho mundo de ideias que acabou de surgir na minha pesquisa. Eu a imagino falando: *Novos mundos são ótimos, mas não basta descrevê-los. Forneça as histórias que constroem esse universo. Não importa quão louco e estranho o novo mundo venha a ser, ainda assim nós nos identificaremos com as histórias.*

A autora e ativista bell hooks costuma me ajudar quando estou no meio de uma difícil discussão sobre etnia, gênero ou classe social. Graças a ela vejo o ensino como um ato sagrado, bem como a importância do desconforto para o aprendizado. E Ed Catmull, Shonda Rhimes e Ken Burns estão bem às minhas costas, sussurrando em meu ouvido quando conto uma história. Eles me cutucam quando começo a ficar impaciente e pular os detalhes e diálogos que dão sentido à narrativa. "Nos leve com você por essa história", insistem. Incontáveis músicos e artistas aparecem também, assim como a Oprah. Seu conselho está pendurado na parede do meu quarto de estudos: "Não pense que você pode ser destemida com sua vida e com seu trabalho sem nunca desapontar ninguém. Não é assim que funciona."

Mas minha conselheira mais antiga e constante é Maya Angelou. Fui apresentada à sua obra há 32 anos, estudando poesia na faculdade. Li seu poema "Ainda assim me levanto"[1] e tudo mudou para mim. Ele continha tanto poder e beleza! Busquei cada livro, poema e entrevista de Angelou que pude encontrar, e suas palavras me ensinaram, incentivaram e curaram. Ela conseguia ser tão cheia de alegria quanto impiedosa.

Havia, porém, uma frase sua com a qual eu não concordava nem um pouco. Falava sobre pertencimento, e me deparei com ela em meu curso sobre etnia e classe social na Universidade de Houston. Em entrevista concedida a Bill Moyers, que foi ao ar na TV aberta em 1973, a Dra. Angelou disse:

> A gente só é livre quando vê que não pertence a lugar algum — mas sim a qualquer lugar —, lugar algum mesmo. O preço é alto. A recompensa é ótima.

Lembro bem o que pensei quando li essa frase. *Isso está muito errado. Que tipo de mundo seria este se não pertencêssemos a lugar algum? Só um bando de gente solitária coexistindo. Ela não deve entender o poder do pertencimento.*

Por mais de vinte anos, sempre que a frase reaparecia em minha vida, eu me enchia de raiva. *Por que ela diria uma coisa dessas? Não é verdade. Pertencimento é algo essencial. Precisamos pertencer a algo, a alguém, a algum lugar.* Logo percebi que minha raiva tinha duas origens. Em primeiro lugar, a Dra. Angelou passou a representar tanto para mim que eu não suportava a ideia de discordarmos sobre algo tão básico. Segundo, a necessidade de me encaixar e a angústia do não pertencimento eram dois dos assuntos mais dolorosos da minha vida. Eu não via a ideia de "não pertencer a lugar algum" como liberdade. O sentimento de nunca ter pertencido de verdade a lugar algum era a minha maior dor, um sofrimento pessoal que perpassou a maior parte da minha juventude.

Não era de jeito algum a minha libertação.

As experiências de não pertencimento são marcos de fases da minha vida, e elas começaram bem cedo. Passei o maternal e o jardim de infância na Paul Habans Elementary, na costa oeste de Nova Orleans. Era 1969 e, apesar de maravilhosa (na época e ainda hoje), a cidade estava tomada pelo racismo. As escolas haviam acabado de se tornar oficialmente dessegregadas, bem no ano da minha entrada ali. Eu não sabia nem entendia muito bem o que estava acontecendo, era nova demais; mas eu sabia que minha mãe era sincera e teimosa. Ela expressava sua opinião o tempo todo e até escreveu uma carta para o *Times-Picayune* questionando a legalidade do que hoje chamamos de perfil racial. Eu podia sentir aquela energia em torno dela, mas, para mim, minha mãe continuava sendo apenas uma das voluntárias que faziam a chamada e repassavam os avisos na minha turma, e também aquela que costurava uma combinação de vestidos xadrez amarelos para mim, para si mesma e para minha Barbie.

Havíamos nos mudado do Texas e aquilo tinha sido difícil para mim. Sentia uma saudade desesperada da minha avó, mas ansiava por fazer novos amigos na escola e no nosso condomínio. Isso logo se mostrou um problema. As listas de chamada eram usadas para definir *tudo* — de registros de presença a convites para festas de aniversário. Um dia, outra voluntária da turma veio até minha mãe com a lista e disse: "Veja todas as crianças negras daqui! Olhe para esses nomes! *Todas elas se chamam Casandra!*"

Hum, minha mãe pensou. Talvez aquilo explicasse por que eu era excluída das festas de tantos dos meus amigos brancos. Minha mãe usa o nome do meio, mas seu primeiro nome é Casandra. Meu nome completo naquela lista de chamada? Casandra Brené Brown. Se você é um afro-americano e está lendo isto, sabe exatamente por que as famílias brancas não me convidavam para suas festas. É pelo mesmo motivo que um grupo de graduandos afro-americanos me deu um cartão no final do semestre dizendo: "Ok. Você é mesmo a Brené Brown." Eles se inscreveram na minha disciplina sobre questões femininas e quase caíram da cadeira quando cheguei no primeiro dia de aula. Uma aluna disse: "A Casandra Brené Brown não é *você*, é?" *Sim, senhora*. Também foi por isso que, quando cheguei para uma entrevista de emprego como recepcionista de meio expediente numa clínica particular em San Antonio, a mulher disse: "Então *você* é a Brené Brown! Que agradável surpresa!" E, sim, eu saí da entrevista antes mesmo de nos sentarmos.

As famílias negras eram acolhedoras comigo — mas seu choque era visível assim que eu cruzava a porta. Um dos meus amigos me disse que eu era a primeira pessoa branca a entrar em sua casa. É difícil lidar com isso quando se tem quatro anos de idade e tudo o que você quer é brincar e comer bolo com seus amigos. Pertencimento devia ser algo simples de obter no jardim de infância, e apesar disso eu já não entendia por que me sentia de fora de todos os grupos.

No ano seguinte nos mudamos para o bairro de Garden District, para que meu pai estivesse mais perto da Universidade Loyola, e fui transferida para a Holy Name of Jesus. Eu era anglicana, o que fazia de mim uma entre os poucos alunos não católicos da escola. Acontece que eu era da religião errada, só mais um obstáculo entre mim e o pertencimento. Depois de um ano sendo ignorada, julgada e por vezes excluída, me mandaram para a diretoria e encontrei Deus esperando por mim. Ou pelo menos foi o que eu pensei. No final ele se revelou um bispo. Passou para mim uma cópia mimeografada do Credo Niceno e juntos lemos o texto inteiro, linha por linha.[3] No fim, ele me deu um bilhete para levar para os meus pais. O bilhete dizia: "Brené agora é católica."

De um jeito ou de outro, tudo correu relativamente bem pelos dois anos seguintes, conforme fui entrando no ritmo da minha nova vida em Nova Orleans, principalmente porque eu tinha a melhor amiga do mundo inteiro — Eleanor. Mas aí veio um monte de grandes mudanças. Trocamos Nova Orleans por Houston quando eu estava na quarta série. Depois saímos de Houston para Washington, D.C., no meu sexto ano. Então, na oitava série, nos mudamos de Washington de volta para Houston. A turbulência e o desconforto típicos do ensino médio foram amplificados pela sensação de ser a eterna "novata". Minha única sorte foi que, em meio a todas essas transições, meus pais estavam bem de vida e um com o outro. Apesar da turbulência ao meu redor com escolas, amigos e adultos sempre passageiros, minha casa era um porto seguro. Parecia mesmo um refúgio para a dor que era não pertencer. Quando tudo o mais falhava, eu pertencia ao meu lar, com a minha família.

Mas as rachaduras começaram a aparecer. Aquela última mudança de volta para Houston foi o princípio do longo e doloroso fim do casamento dos meus pais. E, para completar todo esse caos, havia ainda as Bearkadettes.

Quando voltamos para Houston no finalzinho da oitava série, foi bem a tempo de fazer os testes para a equipe de animadoras de torcida do ensino médio chamada Bearkadettes. Isso viria a se tornar tudo para mim. Numa casa cada vez mais tomada pelas discussões dos meus pais, só abafadas pelas paredes do meu quarto, aquela equipe era a minha salvação. Imagine só: fileiras de meninas usando coletes de cetim azul com franjas brancas e saias curtas, todas com perucas idênticas, botas brancas e chapéus de caubói e batom vermelho vivo, entrando em estádios de futebol escolares lotados, espectadores grudados nas cadeiras em pleno intervalo, com medo de perder nossos chutes altos e nossas coreografias perfeitas. Aquela era a minha saída de emergência, meu novo, belo e impecável refúgio.

Oito anos de balé foram suficientes para me ajudar na tarefa de aprender a coreografia, e uma dieta líquida de duas semanas me pôs abaixo do brutal corte de peso. Todas as meninas recomendavam sopa de repolho e a dieta da água. Hoje em dia parece difícil conceber alguém entrando numa dieta líquida aos 12 anos, mas, por algum motivo, na época era algo comum.

Até hoje acho que nunca quis algo na vida mais do que uma vaga naquela equipe de animadoras de torcida. Sua perfeição, precisão e beleza não só compensariam a turbulência crescente lá de casa como também proporcionariam o santo graal do pertencimento. Eu passaria a ter uma "irmã" mais velha, e ela decoraria meu armário. Faríamos festas do pijama e namoraríamos os garotos do time de futebol americano. Para uma garota que já tinha visto *Grease* 45 vezes, eu sabia que esse era o começo de uma experiência de ensino médio que incluiria súbitos rompantes musicais e a versão de uma festa de arromba dos anos 1980.

E, o mais importante, eu estaria num grupo que literalmente fazia tudo em conjunto. Uma Bearkadette era o pertencimento em pessoa.

Como ainda não tinha nenhuma amiga, eu estava por conta própria para fazer os testes. A coreografia era fácil — um número de jazz montado a partir de uma versão instrumental de "Swanee" (aquela do "how I love ya, how I love ya", sabe?). Tinha um monte de passinhos como aquele em que você desliza para o lado e abre os braços, e uma parte inteira de chutes altos. Eu chutava mais alto que qualquer outra garota, exceto por uma dançarina, chamada LeeAnne. Pratiquei tanto que provavelmente faria aquela coreografia até dormindo. Ainda hoje lembro partes dela.

O dia do teste foi aterrorizante, e não tenho certeza se foi o nervosismo ou a dieta de fome, mas ao acordar eu me senti tonta, e continuei assim depois que minha mãe me deixou na escola. Hoje, sendo mãe de uma adolescente e de um pré-adolescente, é meio difícil pensar em ter que entrar sozinha, cercada por grupos de meninas saindo de carros e correndo juntas, de mãos dadas. Mas logo percebi que tinha um problema maior do que esse.

Todas as meninas — e digo todas *mesmo* — estavam produzidas da cabeça aos pés. Algumas usavam shorts de cetim azul e camisas douradas, enquanto outras trajavam tops azuis e dourados com saias brancas curtas. Havia toda combinação de laços azuis e dourados que você possa imaginar. E elas estavam supermaquiadas. Eu não usava maquiagem alguma e estava com um short de algodão cinza por cima de um collant preto. Ninguém tinha me dito que era para se enfeitar com as cores da escola. Todas elas pareciam tão lindas e maravilhosas. Eu parecia a garota triste cujos pais brigavam demais.

Passei na pesagem com quase três quilos de folga. Ainda assim, me marcou muito ter visto outras garotas saindo da balança e correndo aos prantos para o vestiário.

Pusemos números de identificação nas nossas camisas e dançamos em grupos de cinco ou seis. Tonta ou não, eu arrasei na coreografia. Estava muito confiante quando minha mãe foi me buscar e fomos para casa esperar os resultados. Os números escolhidos sairiam mais tarde naquela noite. Aquelas horas passaram em câmera lenta.

Por fim, às seis e cinco, paramos no estacionamento do meu futuro colégio. Minha família inteira — mãe, pai, irmão e irmãs — estava no carro. Eu ia checar a lista de classificadas e dali seguiríamos rumo a San Antonio, para visitar meus avós. Fui até o cartaz pendurado do lado de fora da porta do ginásio. Uma das garotas do meu grupo de testes estava bem do meu lado. Ela era a mais linda e maravilhosa de todas. E, ainda por cima, o nome dela era Kris (sim, um daqueles nomes agêneros que todas invejávamos na época).

A lista estava em ordem numérica. Se o seu número estivesse ali, você tinha entrado na equipe. Caso contrário, estava fora. Eu era a número 62. Meu olho foi direto para a casa dos 60: 59, 61, 64, 65. Olhei de novo. A ficha simplesmente não caía. Achei que, se olhasse com bastante força e o universo soubesse de tudo o que estava em jogo, meu número talvez aparecesse como num passe de mágica. Minha negociação com o universo foi interrompida pelos gritos de Kris. Ela pulava feito doida, e antes que eu me desse conta, o pai dela saiu do carro, correu até ela, a agarrou e girou igual acontece nos filmes. Mais tarde, ouvi comentarem que eu era uma ótima dançarina, mas não era realmente feita para as Bearkadettes. Sem laços. Sem brilho. Sem grupo. Sem amigas. Nenhum lugar ao qual pertencer.

Eu estava sozinha. E o sentimento era devastador.

Voltei para a caminhonete e sentei no banco de trás, e meu pai seguiu viagem. Meus pais não disseram uma palavra. Nenhuma mesmo. O silêncio me atingiu como uma faca no coração. Eles se envergonhavam de mim e por mim. Meu pai tinha sido capitão do time de futebol americano. Minha mãe tinha sido capitã de sua própria equipe de animadoras de torcida. Eu não era nada. Meus pais, principalmente o meu pai, valorizavam coisas como ser popular e se enturmar acima de todas as outras. E eu não fui popular. Não me enturmei.

E naquele momento, pela primeira vez, eu também não pertencia à minha família.

É fácil desmerecer minha história da equipe de animadoras de torcida dentro do grande cenário de eventos do mundo atual. (Já estou até vendo a hashtag #firstworldproblems) Mas deixe-me dizer o que aquilo significou para mim. Não sei se foi verdade ou se foi a história que contei a mim mesma diante daquele silêncio, mas aquele se tornou o dia em que eu não mais me senti acolhida pela minha família — o mais primitivo e importante de todos os nossos grupos sociais. Se meus pais tivessem me consolado ou dito como eu era corajosa por tentar — ou, melhor ainda, e o que eu realmente queria naquele momento, se tivessem me apoiado e dito como aquilo era horrível e como eu merecia ter sido escolhida —, essa história não teria definido minha vida e moldado sua trajetória. Mas ela definiu e moldou.

Contar essa história aqui foi muito mais difícil do que eu esperava. Tive que usar o iTunes para lembrar o nome da música do teste e, quando toquei a prévia, caí no choro. Não foi por ter ficado de fora da equipe de animadoras de torcida que eu desmoronei; foi por aquela garota que eu não pude consolar. A garota que não entendia o que estava acontecendo nem por quê. Chorei por aqueles pais tão despreparados para lidar com a minha dor e com a minha vulnerabilidade. Pais que simplesmente não sabiam como se expressar e me consolar ou, no mínimo, tentar corrigir aquela história de eu não pertencer a eles. Nessas horas, se deixamos de falar e resolver as coisas, passamos a vida adulta desesperados por pertencimento e nos acomodando em troca de aceitação. Por sorte, meus pais nunca pensaram que a criação dos filhos terminava quando eles saíam de casa. Juntos, aprendemos sobre coragem, vulnerabilidade e o verdadeiro pertencimento. Esse tem sido o pequeno milagre.

Mesmo num contexto de sofrimento — como pobreza, violência, violação dos direitos humanos —, o sentimento de não pertencer à própria família ainda é um dos traumas mais perigosos. Isso porque ele tem o poder de partir nosso coração, nosso espírito e nossa noção de amor-próprio. Partiu todos os três, no meu caso. E quando essas coisas se partem, só existem três caminhos possíveis, que acabei trilhando na minha vida e no meu trabalho:

1. Você vive com uma dor contínua, e busca alívio entorpecendo-a ou infligindo-a aos outros;
2. Você nega sua dor, e essa negação faz com que você a repasse para as pessoas ao seu redor e para os seus filhos; ou
3. Você encontra coragem para aceitar essa dor e desenvolve um nível de empatia e compaixão por si mesmo e pelos outros que faz com que você perceba a dor no mundo de maneira única.

Pode apostar que tentei os dois primeiros. Foi por pura sorte que rumei para o terceiro caminho.

Depois do pesadelo com as Bearkadettes, as brigas pioraram lá em casa. Quase sempre eram uma baixaria sem limites. Meus pais simplesmente não sabiam resolver isso de outro jeito. Eu morria de vergonha, achando que meus pais eram os únicos no mundo com dificuldade para manter um casamento. Todos os amigos do meu irmão e das minhas irmãs que iam brincar lá em casa chamavam meus pais de "Sr. e a Sra. B", com uma casualidade descontraída, como se os dois fossem ótimos. Mas eu sabia das discussões secretas e sabia que não pertencia ao grupo daqueles garotos, cujos pais eram tão incríveis quanto os da televisão. A vergonha de viver de aparências passava a ser mais uma na pilha que se acumulava.

Claro que perspectiva é resultado da experiência. Eu não tinha a experiência necessária para contextualizar o que estava acontecendo à minha volta, e, como meus pais só estavam tentando sobreviver sem causar uma catástrofe, não deve ter lhes ocorrido dividir suas perspectivas com a gente. Eu tinha *certeza* de que era a única da cidade, até mesmo do mundo, vivendo aquele tipo específico de show de horrores, apesar de o meu colégio de ensino médio estar nas notícias de todo o país devido ao número alarmante de estudantes que haviam se suicidado. Foi só mais tarde, quando o mundo mudou e as pessoas começaram a realmente falar sobre seus problemas, que eu descobri quantos daqueles pais perfeitos acabaram se divorciando, morrendo após uma vida tão difícil ou, com um pouco de sorte, buscando a recuperação.

Às vezes o maior perigo para uma criança é o silêncio que lhe permite criar as próprias histórias — histórias essas que quase sempre a retratam como solitária e indigna de amor e pertencimento. Essa foi a minha narrativa, de modo que, em vez de fazer acrobacias no intervalo dos jogos, eu era a garota escondendo maconha dentro do pufe e andando com arruaceiros, procurando o meu grupinho como dava. Nunca participei de nenhuma outra seleção. Em vez disso, eu me tornei muito boa em me encaixar, fazendo o que quer que fosse necessário para me sentir desejada e parte de algo.

Durante as brigas constantes e cada vez piores dos meus pais, meu irmão e minhas duas irmãs costumavam ir para o meu quarto esperar até que a poeira baixasse. Como a mais velha, passei a usar meus superpoderes de integração recém-adquiridos para descobrir o que provocara aquela briga, de modo a elaborar intervenções sofisticadas e "melhorar tudo". Eu podia ser a salvação para os meus irmãos, para a minha família. Quando dava certo, eu me sentia uma heroína. Quando não dava, eu me responsabilizava e redobrava o trabalho de investigação. Só me ocorreu agora, enquanto escrevo, mas, na verdade, foi assim que comecei a trocar a minha vulnerabilidade por pesquisas e informação.

Olhando em retrospecto, percebo que provavelmente devo minha carreira ao não pertencimento. Primeiro na infância e depois na adolescência, descobri meu mecanismo de defesa primário para enfrentar o não pertencimento estudando as outras pessoas. Eu era uma investigadora de padrões e conexões. Sabia que, se identificasse padrões nos comportamentos das pessoas e os conectasse a seus sentimentos e ações, tudo seria mais fácil. Usei minhas habilidades de reconhecimento de padrões para antecipar o que as pessoas queriam, o que pensavam ou estavam fazendo. Aprendi a dizer a coisa certa, a passar a impressão certa. Eu me tornei uma especialista em adaptação, uma camaleoa. E uma estranha muito solitária para mim mesma.

Com o passar do tempo, comecei a conhecer muitas das pessoas à minha volta melhor do que elas próprias, mas nesse processo acabei ficando para trás. Aos 21 anos, já tinha entrado na faculdade e largado, sobrevivido ao divórcio dos meus pais, rodado pela Europa de carona por seis meses e me envolvido em todo comportamento autodestrutivo idiota que você puder imaginar, tirando as drogas. Mas eu estava cansada daquilo. Não estava mais funcionando. Anne Lamott reproduziu um comentário de um de seus amigos sóbrios que resume perfeitamente esse tipo de fuga: "No final, eu já estava me deteriorando mais depressa do que conseguia baixar meus padrões."[4]

Em 1987, conheci Steve. Por algum motivo, eu era mais eu mesma perto dele do que com qualquer outra pessoa desde a minha primeira melhor amiga, Eleanor. Ele me via de verdade. E, mesmo pegando o finalzinho da minha fase autodestrutiva, ele enxergou a minha essência e gostou de mim. Ele tinha saído de um trauma familiar bem parecido, então reconheceu em mim aquela angústia, e pela primeira vez em nossas vidas falamos sobre essas experiências. Nós nos abrimos. Às vezes passávamos dez horas no telefone. Falamos sobre todas as dificuldades enfrentadas, a solidão com a qual lutamos e a dor insuportável do não pertencimento.

O que começou como uma amizade virou uma enorme paixão e, no fim, um relacionamento amoroso completo. Nunca subestime o poder de ser visto — é exaustivo insistir em sabotar a si mesma quando o outro vê e ama você de verdade. Havia dias em que aquele amor parecia um presente. Em outros eu o odiava por isso. Mas, conforme comecei a vislumbrar meu eu verdadeiro, fui me enchendo de mágoa e de desejo. Mágoa pela garota que nunca pertenceu a lugar algum, e um desejo de descobrir quem eu era, do que gostava, no que acreditava e aonde queria chegar. Steve não se sentiu nem um pouco ameaçado por essa minha busca pessoal. Ele amou e apoiou tudo.

Portanto, Dra. Angelou, não pertencer a lugar algum não poderia ser uma coisa *boa*. Não mesmo. Eu continuava sem entender o que ela quis dizer.

Sete anos depois de nos conhecermos, Steve e eu nos casamos. Ele passou da faculdade de medicina para a residência, e eu passei da graduação para a pós. Em 1996, no dia seguinte ao término do mestrado, decidi firmar meu compromisso com uma vida mais limpa e parei de beber e de fumar. Curiosamente, meu primeiro guardião temporário dos Alcoólicos Anônimos me disse o seguinte: "Não acho que seu *lugar* seja no A.A.. Você devia tentar as reuniões dos codependentes." O guardião dos codependentes me sugeriu voltar para os A.A. ou experimentar os Comedores Compulsivos Anônimos, já que "você não é exatamente uma de nós". Dá para acreditar? Quão merda é quando você não pertence nem mesmo ao A.A.?

No fim, uma nova guardiã afirmou que eu tinha um verdadeiro mix de vícios: basicamente, usava tudo o que estivesse à mão para escapar da vulnerabilidade. Ela me aconselhou a encontrar um grupo com o qual eu me identificasse — não importava qual fosse, desde que eu parasse de beber, de fumar, de me negligenciar em favor dos outros e de comer demais. *Claro. Pode deixar.*

Aqueles primeiros anos de casamento foram difíceis. A residência e a pós-graduação nos deixaram pobres e mentalmente esgotados. Nunca vou me esquecer de quando contei a uma psicóloga universitária que eu duvidava muito de que aquele casamento fosse funcionar. A resposta dela? "Talvez não funcione mesmo. Ele gosta bem mais de você do que você se gosta."

Minha jornada de mestre camaleoa rumo ao verdadeiro pertencimento começou aos vinte e poucos anos e durou algumas décadas. Na casa dos trinta, substituí um tipo de autodestruição por outro: abri mão da farra em favor do perfeccionismo. Continuava lidando com o fato de me sentir deslocada — mesmo no meu trabalho —, mas minha reação quando não via meu número na lista passou a ser outra. Em vez de sofrer calada e envergonhada, passei a falar sobre meus medos e mágoas. Passei a questionar o que era importante para mim e por quê. Por acaso eu queria passar o resto da vida seguindo o que os outros diziam? Não. Quando me desencorajaram de fazer uma dissertação qualitativa, eu fiz assim mesmo. Quando tentaram me convencer a não estudar a vergonha, eu fiz assim mesmo. Quando me disseram que eu não conseguiria ser professora nem escrever livros que outras pessoas quisessem ler, eu fiz essas coisas assim mesmo.

Não é que eu tenha passado de um extremo — valorizando apenas a adequação — a outro — valorizando apenas ser diferente, contestadora ou do contra. São dois lados de uma mesma moeda. Eu no fundo ainda buscava aceitação, e minha decisão de me manter isolada na minha profissão me deixava num estado de ansiedade e precariedade quase constante. Não era o ideal, mas eu tinha chegado longe o bastante para saber que o preço de assimilar e fazer o que esperavam de mim teria me custado demais — talvez minha saúde, meu casamento ou minha sobriedade. Por mais que eu quisesse uma equipe, eu preferia me isolar a sacrificar qualquer uma dessas coisas.

Então, em 2013, uma série de pequenos milagres me levou a um dos momentos mais importantes da minha vida. Oprah Winfrey me chamou para participar de um dos meus programas favoritos, o *Super Soul Sunday*.

Na noite anterior ao programa, saí para jantar com um dos produtores e o meu empresário, Murdoch (um escocês que mora no West Village e que hoje diz "galera" com a mesma facilidade que eu). Depois do jantar, enquanto Murdoch e eu voltávamos para o hotel, ele parou numa esquina e me perguntou assim, do nada: "Onde você está, Brené?"

Quando lhe dei uma resposta engraçadinha — "Na esquina da Michigan com a Chicago" —, sabia que estava me sentindo vulnerável. E enquanto Murdoch explicava o meu nível de "ausência" durante o jantar (Educada e amistosa? *Sim*. Presente? *Não*.), percebi logo o que estava acontecendo. Encarei meu empresário e admiti: "É o que eu costumo fazer quando sinto medo. Fico pairando sobre a minha vida, só olhando e pensando, em vez de viver."

Murdoch entendeu. "Eu sei. Mas você precisa achar um jeito de parar com isso e voltar. Esta é uma oportunidade única. Não quero que você a desperdice. Não fique analisando o momento. Esteja nele."

Na manhã seguinte, enquanto me vestia para encontrar com Oprah pela primeira vez, minha filha me mandou uma mensagem. Ela queria saber se eu tinha assinado e devolvido um termo de autorização para uma viagem da escola dela. Depois de confirmar, sentei na beira da cama e lutei contra as lágrimas. Comecei a pensar: *Preciso de um termo de autorização para deixar de ser tão séria e medrosa. Preciso de autorização para me divertir hoje*. Então me surgiu uma ideia. Depois de espiar pelo quarto para ter certeza de que ninguém ia testemunhar a coisa incrivelmente ridícula que eu estava prestes a fazer, fui até a mesa, sentei e escrevi um termo de autorização em um post-it que encontrei na bolsa do meu computador. Ele dizia simplesmente: "Autorização para ser empolgada e brincalhona e me divertir."

Esse seria o primeiro de centenas de termos de autorização que eu escre veria para mim mesma. Ainda os escrevo, e ensino a todos que me concedem cinco minutos de seu tempo o poder desse método definidor de intenções. Ele funciona que é uma maravilha. No entanto, assim como no caso dos termos de autorização que você dá aos seus filhos, eles estão autorizados a ir ao zoológico, mas ainda precisam entrar no ônibus. Defina a intenção. Siga o plano. Naquele dia, eu entrei no ônibus.

Eu não percebi isso na época, mas, olhando em retrospecto, esses termos de autorização que eu me dei eram, na verdade, uma tentativa de *pertencer a mim mesma* e a mais ninguém.

Oprah e eu tivemos nosso emocionante primeiro encontro diante das câmeras, e em poucos minutos estávamos brincando e rindo. Ela era tudo o que eu pensei que seria. Destemida e doce. Gentil e vigorosa. O tempo passou num piscar de olhos. Quando nosso tempo acabou, Oprah se virou para mim e disse: "A gente devia fazer mais uma hora, mais um episódio." Olhei em volta, desconfortável, como se pudéssemos nos encrencar só por ter pensado nisso.

"Sério?", perguntei. "Tem certeza?"

Oprah sorriu. "Sério. Temos muito o que conversar ainda."

Olhei para a escuridão do estúdio na direção do que imaginei que fosse a sala de controle ou algo do tipo e disse: "Será que a gente devia perguntar?"

Oprah sorriu de novo. "Quem você acha que precisa aprovar?" Ela não disse isso de um jeito arrogante. Ela deve ter achado minha pergunta engraçada.

"Ah, claro. Desculpe. Então sim. *Sim!* Eu ia adorar! Mas será que eu devia trocar de roupa? Ai, merda. Só tenho essa e os jeans e botas que usei para vir até aqui."

"Botas e jeans estão ótimos. Te empresto uma parte de cima."

Ela se afastou para trocar a própria roupa, mas, poucos passos depois, deu meia-volta e disse: "Maya Angelou está aqui. Você gostaria de conhecê-la?"

Visão em túnel. Câmera lenta. *Isso é demais para mim. Talvez eu esteja morta.*

"Brené? Oi? Gostaria de conhecer a Dra. Maya?" Eu estava pensando que isso talvez me fizesse perder as estribeiras quando Oprah insistiu: "O que acha?"

Eu pulei da minha cadeira. "Sim. Ai, meu Deus! *Sim.*"

Oprah me pegou pela mão enquanto andamos até uma segunda sala verde, de frente para aquela onde me arrumaram para o programa. Entramos e a primeira coisa que notei foi uma tela de TV diante de onde a Dra. Angelou estava sentada. A imagem no monitor mostrava as duas cadeiras vazias onde Oprah e eu estávamos sentadas.

Maya Angelou olhou direto para mim. "Olá, Dra. Brown. Eu estava vendo vocês."

Avancei, tomei a sua mão estendida e disse: "É uma honra enorme conhecê-la. Você significa tanto para mim. Representa uma parte enorme da minha vida."

Ela continuou segurando minha mão e colocou a mão livre em cima da minha. "Você está fazendo um trabalho importante. Continue. E continue falando sobre o seu trabalho. Não pare e não deixe ninguém impedi-la."

Então eu disse a ela que às vezes, nas minhas aulas, apago as luzes e toco para a turma uma fita cassete antiga que tenho dela recitando o poema "Nossas avós". Contei a ela que às vezes eu repetia aquela frase: "Não serei demovida..."[5]

Ela segurou minhas mãos bem firme, olhou bem nos meus olhos e, com uma voz lenta e profunda, cantou: "Como uma árvore plantada à margem do rio, eu não serei demovida." Então ela apertou minhas mãos com força e pediu: "Não seja demovida, Brené."

Era como se ela tivesse empacotado toda a coragem de que eu precisaria para o resto da vida e me entregado bem ali. Raramente recebemos a dádiva de saber que estamos vivendo algo que vai ajudar a nos definir. Mas eu soube. O que fazer quando você passou a maior parte da vida mudando para tentar se adequar e, de repente, Maya Angelou está cantando para você, dizendo para não ser demovida? Você dá um jeito de fincar os malditos pés no solo, é isso que você faz. Vai se dobrar e se esticar e crescer, mas comprometida a não deixar de ser quem você é. Ou, no mínimo, você passa a tentar.

Seis meses depois daquele dia inacreditável, eu me vi sentada em outra sala verde em Chicago. Dessa vez eu ia falar num dos maiores eventos de liderança do mundo. Os organizadores recomendaram *enfaticamente* que eu usasse um "traje executivo" para a ocasião, e eu olhava minha calça preta e meus sapatos de salto e me sentia uma grande impostora. Ou como se estivesse indo a um velório.

Sentada a meu lado estava outra palestrante (que no futuro se tornaria uma amiga próxima), e ela perguntou como eu estava. Confessei que era algo novo para mim e que não conseguia me livrar da sensação de estar fantasiada. Ela afirmou que eu parecia "muito bem", mas a expressão em seu rosto dizia: *Eu sei. Não é fácil. Mas o que a gente pode fazer?*

Eu me levantei de repente, peguei minha mala de uma parede cheia de malas pertencentes a outros palestrantes e fui para o banheiro. Minutos depois, saí com uma camisa azul-marinho, jeans escuros e tamancos. A mulher olhou para mim, sorriu e disse: "Incrível. Você é corajosa."

Eu não tinha certeza se ela estava falando sério, mas eu ri. "Na verdade, não. É uma necessidade. Não posso entrar naquele palco e falar sobre autenticidade e coragem quando não me sinto autêntica ou corajosa. Eu simplesmente não posso. Não estou aqui para ter uma conversa entre executivos. Estou aqui para que o meu coração fale com o deles. Isso é o que eu sou." Outro passo importante para aprender a pertencer a mim mesma.

Voltei a colidir com o mundo dos negócios algumas semanas depois. Enquanto lidava com uma pilha de informações sobre futuras palestras, li a seguinte observação de um organizador: "Assistimos a uma conferência sua no ano passado. Mal podemos esperar até você falar para os nossos líderes! Daquela vez, você falou da importância de conhecer nossos valores fundamentais — e nós adoramos. Só que você citou a fé como um dos seus dois valores guias. Dado o contexto de negócios, agradeceríamos se deixasse a fé de fora. Coragem era o outro dos seus valores, e isso é perfeito! Você poderia focar nisso?"

Dava para sentir o aperto no peito e o rosto ardendo a cada segundo. Algo do tipo, mas no extremo oposto, acontecera no começo daquele ano. Um organizador havia me dito que, embora "apreciasse minha abordagem direta e informal", ele gostaria que eu não soltasse palavrões, para não afastar a "audiência religiosa" que "me ofereceria graças", mas ainda assim sairia dali ofendida.

Que... babaquice. Essa é uma tremenda babaquice. Eu não vou fazer isso. Prefiro nunca mais dizer nada. Eu não serei demovida.

Passei minha carreira inteira sentada diante de pessoas, ouvindo-as falar sobre os momentos mais difíceis e dolorosos de suas vidas. Depois de 15 anos de trabalho, posso dizer com segurança que histórias de dor e coragem quase sempre incluem duas coisas: *rezar e xingar*. Às vezes ao mesmo tempo.

Calcei meus tênis e saí pela porta da frente para pensar na minha resposta enquanto dava uma volta pelo bairro. Ao dobrar a última esquina antes de casa, decidi o que diria a todo e qualquer pedido parecido com aquele: se você acha que vou maquiar a verdade ou envernizar as experiências reais de outras pessoas, está enganado. Também não vou dar uma de Joe Pesci em *Os bons companheiros*[6] e xingar o tempo todo, mas se você não consegue me aguentar dizendo "puta" ou "babaquice", ou se precisa que eu finja que a fé não é importante para mim, você bateu na porta errada. Há muitos professores e oradores ótimos por aí — você só precisa encontrar alguém que possa se vestir de acordo, envernizar e não falar demais. Essa não sou eu. Não mais.

Eu não serei demovida.

Quando Steve chegou em casa, contei sobre a minha mais nova decisão, sentei-me a seu lado e pus a cabeça em seu ombro. "É difícil", confessei. "Eu não pertenço a lugar algum. A nenhum lugar. Aonde quer que eu vá, sou como uma estranha quebrando as regras e falando coisas que mais ninguém fala. Ninguém está comigo. E tem sido assim a minha vida toda."

Steve não tentou me animar. Em vez disso, ele concordou e disse que eu "meio que não pertencia" a nenhum grupo específico. Também me lembrou que eu pertencia a ele, Ellen e Charlie — e que eu podia rezar e xingar o quanto quisesse, desde que tivesse dinheiro para pagar ao Charlie pelos palavrões.

Eu ri um pouco, mas senti as lágrimas chegando. "Passei a vida toda do lado de fora", disse a Steve. "É difícil demais. Às vezes nossa casa é o único lugar em que não me sinto inteiramente sozinha. Não sinto que estou em uma jornada que entendo, não encontro mais ninguém nela. Não tem ninguém lá na frente falando: 'Tudo bem. Há muitos professores/pesquisadores/contadores de histórias/líderes empreendedores/religiosos/bocas-sujas aqui. E aqui está o nosso plano de ação.'"

Steve pegou minha mão e arrematou: "Eu sei que é difícil. E você deve se sentir sozinha mesmo. Você é meio estranha — uma forasteira, em muitos sentidos. Mas veja só: tinha mais de vinte oradores naquela grande conferência de liderança, e de todos você foi a mais bem avaliada. Mesmo de jeans e tamancos. Como pode achar que alguém pertence àquilo mais do que você? Você sempre vai pertencer a qualquer lugar em que apareça como você mesma e fale de si e do seu trabalho de um jeito verdadeiro."

E foi isso. Era aquele o momento.

Eu finalmente entendi aquela frase de Maya Angelou, num sentido mais prático e fundamental. Beijei Steve, corri para o meu escritório, peguei meu laptop e joguei a frase dela no Google. Ao voltar com o laptop para o sofá, li para Steve:

> A gente só é livre quando vê que não pertence a lugar algum — mas sim a qualquer lugar —, lugar algum mesmo. O preço é alto. A recompensa é ótima.

Aquele foi o momento de virada em como eu me enxergava — uma solitária e apagada menina, parada na porta de um ginásio, procurando num cartaz a confirmação de que ela pertencia a algum lugar. Eu tinha alcançado sucesso no trabalho. Tinha um ótimo parceiro e ótimos filhos. Mas até então não havia me livrado daquela história de não pertencer ao meu mundo ou à minha família de origem.

Steve viu que algo estava mudando. "O preço é mesmo alto. Mas a recompensa é seu trabalho chegar ao mundo de uma forma franca, que seja fiel às pessoas que dividiram suas vidas e histórias com você."

Perguntei a ele se realmente entendia aquela estranha dicotomia de estar sozinho e ainda assim pertencer — o verdadeiro pertencimento. Ele disse: "Sim. Eu me sinto assim o tempo todo também. É o paradoxo de se sentir solitário e também fortalecido. Às vezes os pais se ressentem porque não prescrevo antibióticos para os filhos deles. A primeira coisa que dizem é: 'Qualquer outro pediatra faria isso. Vou procurar outra pessoa.' Não é fácil ouvir isso, mas eu sempre recorro ao seguinte pensamento: *Tudo bem se ninguém concordar comigo. Não é isso que eu acredito ser melhor para essa criança. Ponto-final.*"

Minha cabeça começou a trabalhar a toda. Expliquei a Steve que, embora achasse que agora entendia a vulnerabilidade e a coragem de se bastar, ainda não conseguia me livrar de uma vontade íntima de me sentir parte de algo. Eu queria o "grupinho". Ele disse: "Você tem um grupinho, só é pequeno e nem todo mundo ali vai concordar ou fazer a mesma coisa. Mas, sinceramente, você nem gosta dessas panelinhas." Ele tinha razão, mas ainda assim eu queria entender melhor.

Enfim me levantei e disse a ele que precisava analisar aquela frase de Maya à luz do meu material sobre pertencimento. Sua resposta ainda me faz rir: "Ah, eu sei. Sei como isso funciona. Quer que eu cuide do jantar? Posso enviar comida até o poço sem fundo onde você faz sua pesquisa. Da última vez que entrou naquele quarto para investigar algo que a incomodava, você levou dois anos."

Busquei a transcrição completa da entrevista de Maya Angelou para Bill Moyers e li pela primeira vez estas linhas finais:

MOYERS: Você pertence a algum lugar?

ANGELOU: Ainda não.

MOYERS: Você pertence a alguém?

ANGELOU: Cada vez mais. Quer dizer, eu pertenço a mim mesma. Tenho muito orgulho disso. Estou sempre muito preocupada com como olho para Maya. Gosto demais dela. Do seu bom humor e da sua coragem. E, quando me vejo agindo de um jeito que não é... que não me agrada, é algo com que preciso lidar.[7]

Tirei os olhos daquela conversa e pensei: *Maya pertence a Maya. Eu pertenço a mim mesma. Entendi. Não captei tudo ainda, mas já é um começo.*

Dessa vez, levei quatro anos para percorrer o poço sem fundo da minha pesquisa. Recorri ao meu antigo material, reuni novas informações e passei a desenvolver uma Teoria do Verdadeiro Pertencimento.

Descobri que ainda tinha muito a aprender sobre o que realmente significa pertencer.

dois A BUSCA PELO VERDADEIRO PERTENCIMENTO

Verdadeiro pertencimento.

Não sei bem o que acontece com essas duas palavras juntas, só sei que, quando as digo em voz alta, elas fazem muito sentido. Como algo pelo qual todos ansiamos e de que precisamos na vida. Queremos fazer parte de algo, mas precisamos que seja real — nada condicionado ou falso ou em constante negociação. Precisamos do verdadeiro pertencimento. Mas o que exatamente é isso?

Em 2010, em *A arte da imperfeição*, defini pertencimento assim:

> Pertencimento é o desejo humano inato de ser parte de algo maior que nós mesmos. Como esse anseio é tão primitivo, frequentemente desejamos satisfazê-lo tentando nos ajustar ou buscando aprovação, o que não é apenas uma tentativa inócua de substituí-lo, mas também uma barreira à sua satisfação. Como o **verdadeiro pertencimento** só acontece quando apresentamos nosso eu autêntico e imperfeito ao mundo, nosso sentimento de pertencimento nunca será maior do que nosso nível de autoaceitação.[1]

Essa definição resistiu à ação do tempo e à atualização do material de pesquisa, mas está incompleta. Há muito mais por trás do verdadeiro pertencimento. Ser você mesmo significa às vezes juntar sua coragem e lutar sozinho, inteiramente sozinho. Mesmo enquanto escrevo isto, eu ainda vejo o pertencimento como uma demanda por algo exterior a nós — conquistado, sim, ao nos mostrarmos de maneira franca, mas dependente de uma experiência que sempre envolveria outras pessoas. Só que, ao mergulhar de cabeça nesse tema, ficou claro que não se trata de algo que alcançamos ou conquistamos junto a elas; é algo que carregamos dentro do peito. Quando pertencemos inteiramente a nós mesmos e acreditamos em nós de modo incondicional, o verdadeiro pertencimento já é nosso.

Pertencer a si mesmo significa ser chamado para lutar sozinho — desbravar a natureza selvagem da incerteza, da vulnerabilidade e da crítica. E, com o mundo mais parecendo uma zona de guerra política e ideológica, isso se torna bem difícil. É como se tivéssemos esquecido que, mesmo quando inteiramente sozinhos, estamos unidos por algo maior do que a mera participação na sociedade, na política e na ideologia — estamos conectados pelo amor e pelo espírito humano. Não importa o quanto nos afastemos por conta do que pensamos e do que acreditamos, o fato é que partilhamos uma única história espiritual.

Definindo o verdadeiro pertencimento

A metodologia que sigo enquanto pesquisadora é a da teoria fundamentada em dados qualitativos. O objetivo da teoria fundamentada em dados é teorizar a partir das experiências vividas pelas pessoas, em vez de comprovar ou refutar as teorias já existentes. Na teoria fundamentada, os pesquisadores tentam entender o que conhecemos como "a principal preocupação" dos participantes do estudo. No caso do pertencimento, eu me perguntava: o que as pessoas buscam? O que as preocupa?

A resposta foi surpreendentemente complexa. Elas querem fazer parte de algo — experimentar uma conexão verdadeira com os outros — mas não à custa de sua autenticidade, liberdade ou poder. Os participantes relataram ainda sentir-se cercados por culturas do tipo "nós contra eles", responsáveis por uma sensação de desconexão espiritual. Ao explicar o que queriam dizer com "desconectados espiritualmente", os participantes da pesquisa descreveram uma sensação de humanidade compartilhada cada vez mais desvanecente. Insistiram muito no temor de que a única coisa nos unindo atualmente seja o medo e o desdém compartilhados, não a humanidade comum, a confiança mútua, o respeito ou o amor. Eles relataram sentir mais medo de discordar ou de debater com amigos, colegas e familiares pela atual falta de civilidade e tolerância.

Relutantes ao escolher entre serem leais a um grupo ou a si mesmos (mas sem a conexão espiritual mais profunda com a humanidade compartilhada), eles estavam muito mais cientes da pressão para se "encaixar" e se adaptar. Uma conexão com uma humanidade mais ampla dá às pessoas mais liberdade para expressar sua individualidade, sem temer a perda do pertencimento. É a força de espírito (hoje em falta) necessária para dizer: "Sim, somos diferentes em vários aspectos, mas, apesar de tudo, estamos profundamente conectados."

Para definir a principal questão por trás do pertencimento, voltei para *A arte da imperfeição* em busca da definição de espiritualidade que emergiu da minha pesquisa em 2010:

> Espiritualidade é reconhecer e celebrar que estamos inseparavelmente conectados uns aos outros por uma força maior do que todos nós juntos, e que nossa conexão a essa força e aos outros é mantida por amor e compaixão.[2]

Fiquei um tempo lendo e relendo as palavras "inseparavelmente conectados". Nós rompemos essa conexão. No próximo capítulo, vou mostrar como e por que fizemos isso. O restante do livro ensina a recuperá-la — reencontrar nosso caminho até o outro.

Chamei a principal preocupação dos participantes da atual pesquisa de *verdadeiro pertencimento*. E, considerando a definição acima e as informações obtidas, não havia dúvida de que a maior dificuldade para conquistar o verdadeiro pertencimento está no campo espiritual. Não se trata de uma dificuldade religiosa ligada a dogmas ou denominações de qualquer tipo, mas sim de uma enorme e dispendiosa saga para permanecermos conectados ao que nos une enquanto seres humanos, num mundo cada vez mais discriminatório e cínico.

Seguindo o caminho da teoria fundamentada, concentrei minha pesquisa nas seguintes questões:

1. Que processo, prática ou abordagem as mulheres e os homens que desenvolveram a noção de verdadeiro pertencimento têm em comum?
2. O que é preciso fazer para que nossa vida atinja um estágio onde não pertencemos a lugar algum e sim a qualquer lugar — onde o pertencimento está em nosso coração e não numa recompensa por "buscar perfeição, agradar, ter que se provar e fingir", ou em algo que os outros podem suspender ou tirar de nós?
3. Se decidirmos desbravar a natureza selvagem — lutando sozinhos em nossa integridade —, será que ainda precisaremos dessa sensação de pertencimento que vem da sociedade?
4. A atual cultura de separação crescente afeta nossa busca pelo verdadeiro pertencimento? Se a resposta for sim, como?

O que emergiu das respostas a essas perguntas foram os quatro elementos do verdadeiro pertencimento. Esses elementos se encontram na realidade do mundo em que vivemos hoje. As teorias que surgem a partir dessa metodologia baseiam-se em nossa relação cotidiana com o mundo; elas não são hipotéticas. Isso significa que você não pode desenvolver uma teoria do verdadeiro pertencimento sem abordar como nosso mundo cada vez mais polarizado molda nossa vida e nossas experiências de conexão e de verdadeiro pertencimento. Eu não pretendia escrever um livro sobre pertencimento neste cenário de caos político e ideológico. Mas não houve alternativa. Era preciso respeitar os dados da pesquisa.

Ao observar cada um dos quatro elementos, você verá que cada um é uma prática diária e soa como um paradoxo. Eles vão nos desafiar:

1. De perto, é mais difícil odiar o outro. Aproxime-se.
2. Bata de frente com as merdas que ouvir. Seja civilizado.
3. Dê a mão. A completos estranhos.
4. Costas fortes. Fronte suave. Coração indomado.

A natureza selvagem

Conforme o verdadeiro pertencimento se delineava com o avançar da pesquisa e eu ia entendendo por que às vezes precisamos nos firmar sozinhos em nossas decisões e crenças (apesar de nosso temor a críticas e rejeição), a primeira imagem que me veio à mente foi a da natureza selvagem. Teólogos, escritores, poetas e músicos sempre usaram a natureza selvagem como metáfora, tanto para representar um ambiente vasto e perigoso, onde somos forçados a passar por difíceis provações, como um refúgio belo e primitivo, no qual buscamos espaço para contemplação. O que todas as metáforas sobre a natureza selvagem têm em comum são as noções de solidão, vulnerabilidade e de jornada emocional, espiritual ou física.

Pertencer de forma tão íntegra a si mesmo a ponto de querer se firmar sozinho é, *sim*, uma natureza selvagem — um lugar bravio e imprevisível de solitude e busca. É um lugar tão perigoso quanto arrebatador, tão procurado quanto temido. A natureza selvagem pode muitas vezes parecer profana por não termos controle sobre ela, ou sobre o que as pessoas vão pensar da nossa escolha de nos aventurarmos ou não por essa vastidão. Mas na realidade é o lugar do verdadeiro pertencimento, o lugar de maior coragem e sacralidade que você pode ocupar.

O tipo especial de coragem necessária para vivenciar o verdadeiro pertencimento não envolve apenas desbravar a natureza selvagem, mas também *se tornar* a natureza selvagem. Envolve derrubar os muros, abandonar nossos redutos ideológicos e viver a partir do nosso coração selvagem, e não de nossa antiga mágoa.

Não podemos esperar trilhar um caminho pavimentado por essas terras precárias. Embora eu possa partilhar aqui o que aprendi com os participantes da pesquisa que praticam o verdadeiro pertencimento, todos devemos encontrar nosso próprio caminho na mata fechada. E, se você for como eu, não vai gostar de algumas das paisagens.

Precisaremos buscar pessoas diferentes de nós. Precisaremos comparecer, participar e dividir a mesa. Precisaremos aprender a ouvir, ter conversas difíceis, procurar alegria, partilhar a dor e ser mais curiosos do que defensivos, tudo isso em prol de momentos de união.

O verdadeiro pertencimento não possui um caráter passivo. Não surge pura e simplesmente ao se juntar a um grupo. Não tem a ver com se adequar ou fingir ou saber se vender por ser mais seguro. É uma prática que exige que sejamos vulneráveis, que nos sintamos desconfortáveis e aprendamos a estar presentes com os outros sem sacrificar quem somos. Almejamos o verdadeiro pertencimento, mas é preciso muita coragem para se colocar voluntariamente em momentos difíceis.

Habilidades BRAVING

Não se anda desprecavido pela natureza selvagem. Firmar-se sozinho em um ambiente super-hostil ou estar com outros diante da alteridade requer uma ferramenta fundamental: a confiança. Para desbravar e se tornar a natureza selvagem, devemos aprender a confiar em nós mesmos e também nos outros.

A definição de confiança que mais se alinha aos dados da minha pesquisa partiu de Charles Feltman. Feltman descreveu a confiança como "aceitar o risco de deixar algo importante à mercê das ações dos outros"; ele então continua, descrevendo a desconfiança como a percepção de que "o objeto da minha estima não está em segurança com essa pessoa nessa situação (ou em qualquer situação)".[3]

Dada a dificuldade de colocar a cabeça e o coração para trabalhar diante de um conceito tão elevado quanto a confiança, e o fato de que discussões envolvendo a frase "Eu não confio em você" raramente terminam bem, pesquisei a fundo esse conceito para entender melhor do que estamos realmente falando quando o assunto é *confiança*.

Sete elementos ligados à confiança emergiram dos dados da minha pesquisa,[4] mostrando-se úteis tanto para a confiança nos outros como em nós mesmos. Para tais elementos, eu uso o acrônimo BRAVING.

Adoro usar BRAVING como uma espécie de checklist da natureza selvagem, porque me lembra de que confiar em mim mesma e nos outros faz parte de um processo de vulnerabilidade e coragem. Embora eu já tivesse partilhado essa descoberta no livro *Mais forte do que nunca*, não me surpreendi ao ver a confiança ressurgir em entrevistas que dei sobre o tema pertencimento.

CONFIANDO NOS OUTROS

Limites (*Boundaries*) — Você respeita os meus limites e, na dúvida sobre o que é aceitável ou não, você pergunta. Você se sente confortável para dizer não.

Confiabilidade (*Reliability*) — Você faz o que diz que vai fazer. Isso implica estar ciente das suas competências e limitações, para que não prometa demais e consiga honrar compromissos e conciliar prioridades conflitantes.

Responsabilização (*Accountability*) — Você admite os seus erros, pede desculpas e faz as pazes.

Sigilo (*Vault*) — Você não partilha informações ou experiências que não lhe pertencem. Preciso ter certeza de que minhas confidências estão a salvo, e de que você não vai me trazer nenhuma informação alheia que devia ser tratada como confidencial.

Integridade (*Integrity*) — Você escolhe a coragem em vez da comodidade. Escolhe o que é certo e não o que é divertido, rápido ou fácil. E você escolhe pôr seus valores em prática em vez de simplesmente anunciá-los.

Não julgamento (*Nonjudgment*) — Eu posso pedir o que preciso, e você pode pedir o que precisa. Podemos expor nossos sentimentos sem emitir qualquer juízo de valor.

Generosidade (*Generosity*) — Você oferece a interpretação mais generosa possível às intenções, palavras e ações alheias.

CONFIANDO EM SI MESMO

Não consigo imaginar nada mais importante na natureza selvagem do que a autoconfiança. O medo desviará nosso foco, e a arrogância é mais perigosa ainda. Se você reler a lista anterior invertendo os pronomes, vai ver que BRAVING também serve como uma poderosa ferramenta para avaliar nossa autoconfiança.

B — Eu respeito os meus próprios limites? Eu deixo claro o que é aceitável e o que não é?
R — Eu sou confiável? Eu faço o que digo que vou fazer?
A — Eu me responsabilizo?
V — Eu respeito o sigilo e compartilho apenas o que posso?
I — Eu ajo com integridade?
N — Eu peço o que preciso? Aceito a ideia de precisar de ajuda sem julgamentos?
G — Eu sou generoso comigo mesmo?

A BUSCA E O PARADOXO

Como costumo dizer, sou uma cartógrafa experiente, mas como viajante posso ser tão perdida e desastrada quanto qualquer outra pessoa. Todos devemos descobrir nosso próprio caminho. Isso significa que, embora possamos partilhar o mesmo mapa de pesquisa, o seu caminho será diferente do meu. Joseph Campbell escreveu: "Se à sua frente se abrir um caminho nítido, com cada passo à mostra, saiba que esse caminho não é seu. O seu caminho se faz a cada passo dado. É por isso que é seu."[5]

A busca pelo verdadeiro pertencimento começa com essa definição formulada na minha pesquisa. Ela nos servirá como um tipo de pedra de toque ao progredirmos juntos nessa empreitada:

> **O verdadeiro pertencimento** é a prática espiritual de acreditar e pertencer a si mesmo tão intensamente que é possível partilhar a sua versão mais autêntica com o mundo e ainda encontrar sacralidade, seja fazendo parte de algo maior

ou se firmando sozinho na natureza selvagem. O verdadeiro pertencimento não requer que você *mude*; requer que você *seja* quem é.

Nossa única certeza é a de que nessa busca precisaremos aprender a transpor a tensão dos muitos paradoxos ao longo do caminho, incluindo a importância de *estar junto* e de *estar sozinho*. De várias formas, a etimologia da palavra "paradoxo" atinge em cheio o que significa abandonar nossos redutos ideológicos, nos firmarmos sozinhos e desbravarmos a natureza selvagem. Em suas origens gregas, paradoxo é a junção de duas palavras: *para* (contrário a) e *doxa* (opinião). O *paradoxum* latino significa "absurdo a princípio mas, no fundo, verdadeiro". O verdadeiro pertencimento não é algo negociado fora de nós, é algo que carregamos dentro do peito. É encontrar sacralidade ao fazer parte de algo maior e ao desbravar sozinho a natureza selvagem. Quando ocupamos esse lugar, ainda que por um instante, pertencemos a qualquer lugar e a lugar algum. *Algo absurdo a princípio, mas também verdadeiro.*

Carl Jung argumentou que o paradoxo é um dos nossos bens espirituais mais preciosos e um grande testemunho da verdade. Faz sentido para mim que sejamos chamados para combater a atual crise de desconexão espiritual com um dos nossos mais preciosos bens espirituais. Testemunhar a verdade raramente é fácil, sobretudo quando nos firmamos sozinhos na natureza selvagem.

Mas, como Maya Angelou nos disse: "O preço é alto. A recompensa é ótima."[6]

três AGUDO SOLITÁRIO: UMA CRISE ESPIRITUAL

Conta-se que, quando criança, Bill Monroe ia se esconder num bosque próximo à linha do trem, na "parte longa, antiga e reta do baixo Kentucky".[1] Dali Bill observava soldados andando pelos trilhos, recém-chegados da Primeira Guerra Mundial. Alguns daqueles veteranos, cansados, soltavam longos gritos — gritos altos, estridentes e arrepiantes de dor e liberdade, que cortavam o ar feito sirenes.

Sempre que o músico e compositor John Hartford conta essa história, ele solta o mesmo grito. Você o reconhece assim que ouve. *Ah, sim, era isso.* Não é um "iupi!" animado nem um gemido sofrido, mas algo bem no meio do caminho. É cheio de miséria e redenção. Um grito saído de outro local e de outra época. Bill Monroe acabou se popularizando como o pai do *bluegrass*. Ao longo de sua lendária carreira, vivia dizendo como praticava esse grito e "sempre considerou que era de onde tinha vindo o seu jeito de cantar". Hoje chamamos esse som de *agudo solitário.*

Agudo solitário é um som ou tipo de música da tradição do *bluegrass*. Suas raízes remontam a Bill Monroe, Roscoe Holcomb e à região do *bluegrass* no Kentucky. É um tipo de música que eu acho arrebatadora. E difícil. E cheia de amargura. Quando ouço Roscoe Holcomb cantando "I'm a Man of Constant Sorrow",[2] *a cappella*, feito uma flecha atravessando o ar, os pelos da minha nuca se eriçam, e me arrepio toda só de ouvir a "I'm Blue, I'm Lonesome", de Bill Monroe.[3] Ao escutar aquele vocal agudo soando acima dos bandolins e dos banjos, dá para sentir a gravidade dos gritos daqueles soldados, e ainda distinguir o som longínquo de um vagaroso trem.

A arte tem o poder de tornar a tristeza bela, fazer da solidão uma experiência compartilhada e transformar o desespero em esperança. Somente a arte pode captar o grito de um veterano recém-chegado e transformá-lo numa expressão compartilhada e numa profunda experiência coletiva. A música, como toda forma de arte, dá à dor e às nossas emoções mais angustiantes voz, linguagem e forma, fazendo com que elas possam ser reconhecidas e compartilhadas. A magia por trás do agudo solitário é a magia por trás de toda arte: a capacidade de identificar nossa dor e ao mesmo tempo nos livrar dela.

Quando ouvimos outra pessoa cantar sobre as bordas afiadas da mágoa ou sobre a natureza indescritível da angústia, logo percebemos que não somos os únicos sofrendo. O poder transformador da arte reside nessa partilha. Sem conexão ou engajamento coletivo, o que ouvimos não passaria de uma canção enclausurada de melancolia e desespero; não encontraríamos redenção alguma. É a partilha da arte que sussurra: "Você não está sozinho."

O mundo atual me soa como um agudo solitário inconsolável. Nós nos categorizamos em facções baseadas em nossa política e ideologia. Nos afastamos uns dos outros em direção à culpa e à raiva. Ficamos sozinhos e à deriva. E assustados. Assustados pra caramba.

Só que, em vez de nos unirmos e partilharmos nossas experiências com músicas e histórias, estamos gritando uns com os outros de cada vez mais longe. Em vez de dançarmos e rezarmos juntos, estamos correndo dos outros. Em vez de propor ideias inovadoras e radicais que poderiam mudar tudo, ficamos calados e encolhidos em nossos redutos e estrondosos em nossas câmaras de eco.

Ao examinar os mais de duzentos mil dados que minha equipe e eu coletamos nos últimos quinze anos, só posso concluir que nosso mundo se encontra numa crise espiritual coletiva. Isso é ainda mais válido se você pensar no cerne daquela definição de "espiritualidade" de *A arte da imperfeição*:

> Espiritualidade é reconhecer e celebrar que estamos inseparavelmente conectados uns aos outros por uma força maior do que todos nós juntos, e que nossa conexão a essa força e aos outros é mantida por amor e compaixão.[4]

Neste momento não estamos reconhecendo nem celebrando a nossa conexão inseparável. Estamos apartados em quase todas as esferas da vida. Não nos mostramos para o outro o suficiente para que essa conexão seja reconhecível. O cinismo e a desconfiança dominaram nossos corações. E, em vez de avançarmos rumo a uma visão de poder partilhado *pelo* povo, estamos testemunhando um retrocesso, rumo a uma visão de poder que representa a síntese do domínio do autocrata *sobre* o povo.

Enfrentar essa crise demandará uma enorme coragem. No momento, a maioria de nós está em silêncio, optando por se proteger do confronto, do desconforto e da vulnerabilidade; ou está escolhendo um dos lados e, nesse processo, lenta e paradoxalmente, assumindo o comportamento daqueles que enfrentamos. De um jeito ou de outro, as escolhas que estamos fazendo para proteger nossas crenças e a nós mesmos estão nos deixando desconectados, assustados e solitários. Pouquíssimas pessoas vêm trabalhando conectadas para além dos limites impostos pelo "outro lado". Encontrar amor e verdadeiro pertencimento em nossa humanidade compartilhada vai exigir uma tremenda resolução de nossa parte. Minha esperança é que esta pesquisa possa esclarecer por que nossa jornada rumo ao verdadeiro pertencimento requer que desbravemos uma natureza realmente selvagem. Vejamos um conjunto de razões por trás da crise, a começar pelo nascimento das facções.

Categorizando-se para o lado de fora

Conforme as pessoas buscam os ambientes sociais de sua preferência — escolhendo o grupo que as faz sentir mais confortáveis —, o país se torna mais politicamente segregado — e o esperado benefício de ter uma variedade de opiniões é perdido para a soberba que é o privilégio típico de grupos homogêneos. Todos nós convivemos com os resultados: comunidades balcanizadas cujos habitantes veem os demais americanos como culturalmente incompreensíveis; uma crescente intolerância às diferenças políticas, o que inviabilizou qualquer consenso nacional; e uma política tão polarizada que o Congresso está engessado e as eleições não são mais apenas disputas em torno de projetos, mas escolhas amargas entre modos de vida.

— *Bill Bishop*[5]

Essa é uma citação de um livro de Bishop chamado *The Big Sort* ["A grande categorização", em tradução livre]. Ele o escreveu em 2009, mas, considerando o estado dos Estados Unidos após as eleições de 2016 e o que está acontecendo em todo o mundo, ele provavelmente vai precisar de uma sequência do tipo *A maior categorização DE TODOS OS TEMPOS.*

O livro de Bishop conta a história de como nos categorizamos geográfica, política e até espiritualmente, formando grupos com ideias afins onde a dissidência é silenciada, radicalizamos nosso jeito de pensar e consumimos apenas fatos que confirmem nossas crenças — o que torna ainda mais fácil ignorar qualquer evidência de que nossas convicções estejam equivocadas. Bishop escreve: "Como resultado, hoje vivemos num gigantesco ciclo de feedback, ouvindo nossas próprias ideias sobre o que é certo e errado, retroalimentadas pelos programas de TV que vemos, os jornais e livros que lemos, os blogs que visitamos on-line, os sermões que ouvimos e os bairros em que vivemos."[6]

Essa categorização nos leva a fazer suposições sobre as pessoas à nossa volta, o que por sua vez alimenta a desconexão. Mais recentemente, um amigo (que claramente não me conhece muito bem) me recomendou um livro de Joe Bageant, *Deer Hunting with Jesus.*[7] Quando lhe perguntei por quê, ele respondeu num tom de desprezo: "Para você entender melhor a parte dos Estados Unidos que os professores de universidade nunca viram nem nunca vão entender." E eu pensei, *Você não sabe nada sobre mim, sobre a minha família ou de onde venho.*

Tão rápido quanto estamos nos categorizando, as pessoas à nossa volta estão nos categorizando também, para saberem o que fazer e o que dizer, e ainda decidir por que devem ou não confiar em nós. Meu amigo esperava que um livro me ajudasse a entender seu país. Mas acontece que este é um país que eu já conheço bem. Está cheio de gente que eu amo. E, no entanto, para aqueles que partilham dos preconceitos do meu amigo, os Estados Unidos são um país que eu aparentemente desconheço, como se nem tivesse nascido nele.

É provável que esse tipo de percepção equivocada se aplique à maioria das pessoas que leem este livro — as coisas não são nada simples. Isso porque não somos nada simples. Eu sou uma professora cujo avô era operador de empilhadeiras de uma cervejaria. Steve é um pediatra cuja avó, imigrante mexicana, costurava vestidos numa fábrica no centro de San Antonio.

A categorização que fazemos de nós mesmos e dos outros é, na melhor das hipóteses, instintiva e reflexiva. Na pior das hipóteses, são estereótipos capazes de desumanizar. O paradoxo é que todos amamos esse sistema de rotulação rápida, tão útil quando queremos definir logo o caráter alheio, mas que nos causa mágoa ao sermos nós os rotulados.

Nos meses seguintes à eleição de 2016 e à posse no mês de janeiro, recebi milhares de e-mails de membros da nossa comunidade pedindo conselhos sobre como lidar com a divisão que se alastrava não apenas pelo país, mas também em sua própria casa. Ao contrário da demografia categorizada do nosso país, minha comunidade continua bastante diversificada, então os e-mails que recebi vieram de ambos os lados. Eram de pessoas explicando que não falavam com o pai ou a mãe havia semanas, ou descrevendo como uma discussão sobre política social logo descambou para uma discussão sobre divórcio.

Lembro quando essa retórica atingiu o auge. Foi perto do Dia de Ação de Graças, e a grande piada era comprar garfos e facas de plástico para jantares em família para evitar baixas durante as festas. Tudo em que eu conseguia pensar era no romance distópico *Divergente*, de Veronica Roth, no qual as pessoas escolhem facções com base em sua personalidade. O lema era: "A facção antes do sangue. Mais do que às nossas famílias, pertencemos às nossas facções."[8] Isso é bem assustador. Mais assustador ainda é que aquilo que se concebeu para ser uma ficção saída de um pesadelo vem se aproximando cada vez mais da nossa realidade.

Afastar-se daqueles que conhecemos e amamos em favor de estranhos que não conhecemos de verdade, mal podemos confiar e definitivamente não amamos, que com certeza não estarão lá para nos levar à quimioterapia ou trazer comida quando as crianças estiverem de cama — esse é o lado sombrio da categorização. A família é o único grupo com que a maioria de nós aceita entrar em negociação em vez de "descartar da nossa vida". Mesmo que a política polarizadora dos acontecimentos recentes tenha desmascarado algumas diferenças de valores entre nós e aqueles que amamos, cortar essa conexão soa como um último recurso — uma consequência implementada somente depois que conversas difíceis e vulneráveis e determinações de limites falharam por completo.

Por vinte anos, tive o grande privilégio de lecionar na Universidade de Houston. É a universidade de pesquisa mais racial e etnicamente diversa dos Estados Unidos. Uns dois semestres atrás, perguntei a uma turma de sessenta alunos de pós-graduação — um grupo que refletia a incrível diversidade de nossa instituição em termos de raça, orientação e identidade sexuais e bagagem cultural — se suas crenças se alinhavam com as crenças políticas, sociais e culturais de algum de seus avós. Cerca de 15% dos alunos responderam que sim ou parcialmente. Cerca de 85% descreveram tudo, no espectro de um leve constrangimento até a mortificação, quando se tratava da visão política de seus familiares.

Um estudante afro-americano explicou que concordava com seus avós em quase todos os assuntos, exceto no que mais lhe importava — ele não conseguia se assumir para o avô, apesar de a família inteira já saber que ele era gay. Seu avô era um pastor aposentado e um "cabeça-dura" quando o assunto era homossexualidade. Uma aluna branca falou sobre o hábito do pai de se dirigir a garçons em restaurantes mexicanos com a frase "*¡Hola, Pancho!*". Ela tinha um namorado latino e disse que considerava aquilo humilhante. Mas, quando perguntei se eles odiavam seus avós ou se estavam dispostos a romper relações com familiares por conta das divisões políticas e sociais, a resposta foi um *não* geral. É mais complicado que isso, claro.

Então, eis aqui a grande questão: não era para essa categorização toda por políticas e crenças que estamos fazendo ter promovido mais interação social? Se nos acomodamos ideológica e geograficamente com pessoas que achamos serem idênticas a nós, não significa que nos cercamos de amigos e de pessoas com os quais nos sentimos profundamente conectados? A ideia do "Ou você está conosco, ou contra nós" não deveria fortalecer os laços entre aqueles de opiniões afins? A resposta a essas perguntas é um ressonante e surpreendente *não*. **A categorização vem ascendendo junto com a solidão.**[9]

De acordo com Bishop, em 1976, menos de 25% dos americanos viviam em lugares onde ocorriam vitórias esmagadoras nas eleições presidenciais. Em outras palavras, morávamos na mesma rua e estudávamos e rezávamos com pessoas de crenças diferentes das nossas. Éramos ideologicamente diversos. Em contraste, em 2016, 80% dos condados dos Estados Unidos deram uma vitória esmagadora para Donald Trump ou para Hillary Clinton. A maioria de nos não vive mais perto de pessoas tão diferentes em termos de crenças políticas e sociais.

Vamos agora comparar esses números com o que está acontecendo no domínio da solidão. Em 1980, cerca de 20% dos americanos relataram que se sentiam solitários. Hoje, essa porcentagem mais do que dobrou. E não é apenas um problema local. As taxas de solidão vêm aumentando depressa nos países ao redor do mundo.

Nitidamente, selecionar amigos e vizinhos com opiniões afins e nos isolar o máximo possível de pessoas que consideramos diferentes não produziu aquele sentimento profundo de pertencimento pelo qual já nascemos ansiando. Para entender isso, precisamos investigar melhor o que significa ser solitário e como a epidemia da solidão está afetando o modo como nos mostramos para o outro.

Do lado de fora, olhando para dentro

O pesquisador neurocientista John Cacioppo, da Universidade de Chicago, estuda a solidão há mais de vinte anos. Ele a define como "isolamento social percebido".[10] Experimentamos a solidão quando nos sentimos desconectados. Talvez tenhamos sido repelidos de um grupo que valorizamos, ou talvez nos falte a noção de verdadeiro pertencimento. No âmago da solidão reside a ausência de interação social significativa — um relacionamento íntimo, amizades, reuniões de família ou mesmo laços com a comunidade ou com algum grupo do trabalho.

É importante observar que *solidão* e *estar sozinho* são coisas bem diferentes. Estar sozinho ou habitar a solitude pode ser algo poderoso e curativo. Como a introvertida que sou, valorizo profundamente o meu tempo sozinha e muitas vezes me sinto mais solitária na companhia de outras pessoas. Lá em casa, chamamos essa sensação de estar desconectado de "vazio solitário".

Perdi a conta das vezes que liguei para Steve na estrada dizendo: "Estou com aquele vazio solitário." Conversar um pouco com ele e com as crianças normalmente me serve de antídoto. Por mais ilógico que pareça, Steve costuma aconselhar: "Talvez você precise de um tempo sozinha no quarto do hotel." Para mim, esse é um tremendo antídoto. Acho que não há nada mais solitário do que me sentir sozinha tendo outras pessoas em volta.

Nossa família usa o termo "vazio solitário" para descrever todo tipo de coisa. Não é incomum Ellen ou Charlie dizerem: "Não gosto desse restaurante. Fiquei com aquele vazio solitário", ou: "Minha amiga pode passar a noite aqui? A casa dela me dá aquele vazio solitário."

Quando nós quatro tentamos entender melhor o que o "vazio solitário" significava para nossa família, todos concordamos que esse vazio surgia em lugares que pareciam carentes de conexão. Por isso penso que os próprios lugares, não apenas as pessoas, podem também guardar esses sentimentos de desconexão. Às vezes um lugar pode parecer solitário devido a uma falta de proximidade nos relacionamentos que acontecem naquele espaço. Em outras, acho que a incapacidade de se imaginar conectado a pessoas de quem você gosta num determinado local já faz com que ele pareça solitário.

Embora haja um profundo alinhamento entre o que encontrei na minha pesquisa e o que Cacioppo descobriu, foi só quando me aprofundei em sua obra que entendi por completo o importante papel da solidão em nossas vidas. Ele explica que, como membros de uma espécie social, devemos nossa força não ao nosso individualismo bruto, mas à nossa capacidade coletiva de planejar, comunicar e trabalhar com o outro. Nossa constituição neural, hormonal e genética privilegia mais a interdependência do que a independência. Cacioppo explica: "Chegar à idade adulta enquanto espécie social, inclusive os seres humanos, não é se tornar autônomo e solitário, mas sim aquele com quem os outros podem contar. Quer saibamos disso ou não, nosso cérebro e nossa biologia foram moldados para favorecer esse resultado."[11] É claro que somos uma espécie social. Por isso a importância da conexão. Por isso a vergonha é tão dolorosa e debilitante. Por isso nascemos para o pertencimento.

Cacioppo explica que a maquinaria biológica do nosso cérebro nos alerta quando nossa capacidade de progredir e prosperar é ameaçada. A fome é um aviso de que o açúcar no sangue está baixo e precisamos comer. A sede nos adverte de que precisamos beber para evitar a desidratação. A dor nos alerta para potenciais danos físicos. E a solidão nos diz que precisamos de conexão social — algo tão crítico para o nosso bem-estar quanto água e comida. Segundo Cacioppo, "negar sua solidão faz tão pouco sentido quanto negar sua fome".[12]

E, apesar de tudo, nós negamos nossa solidão. Como alguém que estuda a vergonha, me vejo de volta ao território que conheço tão bem. Temos vergonha de nos sentirmos sozinhos — como se a solidão indicasse que há algo de errado conosco. Sentimos vergonha mesmo quando nossa solidão é causada por tristeza, perda ou mágoa. Cacioppo acredita que muito do estigma em torno da solidão deriva de como a definimos e de como falamos sobre ela ao longo dos anos. Costumávamos definir a solidão como uma "doença crônica e corrosiva, sem características compensatórias".[13] Era sinônimo de timidez, depressão, ser mais recluso ou antissocial, ou apresentar fracas habilidades sociais. Cacioppo dá um ótimo exemplo disso, apontando como por vezes usamos o termo "recluso" para descrever um bandido ou um mau-caráter.

Ele explica que a solidão não é apenas uma "triste" condição — é também perigosa. O cérebro das espécies sociais evoluiu para responder à sensação de ser empurrado para o perímetro social — estar do lado de fora — entrando em modo de autopreservação. Quando nos sentimos isolados, desconectados e solitários, tentamos nos proteger. Nesse modo, queremos nos conectar, mas nosso cérebro tenta fazer com que a autoproteção prevaleça. Isso resulta em menos empatia, mais defensividade, mais inércia e menos descanso. Em *Mais forte do que nunca*, escrevi sobre a frequência com que o modo de autoproteção do cérebro exagera as histórias que nos contamos sobre o que está acontecendo, criando narrativas que por vezes não são verdadeiras ou extrapolam nossos piores temores e inseguranças. A solidão irrefreada promove a solidão contínua ao conservar nosso receio do que há do lado de fora.[14]

Para combatê-la, devemos primeiro aprender a identificá-la e a ter coragem para enxergar essa experiência como um sinal de alerta. Nossa resposta ideal a esse sinal de alerta seria a busca por conexão. Não significa necessariamente se juntar a um monte de grupos ou ir falar com quinhentos amigos. Vários estudos confirmam que o que realmente importa não é a quantidade de amigos, mas a qualidade de uns poucos relacionamentos.[15]

Se você for como eu e ainda estiver questionando a ideia de a fome e a solidão ameaçarem a vida em igual medida, deixe-me compartilhar o estudo que de fato fez cair a ficha para mim. Numa meta-análise de estudos sobre a solidão, os pesquisadores Julianne Holt-Lunstad, Timothy B. Smith e J. Bradley Layton descobriram o seguinte: a poluição do ar aumenta suas chances de morte precoce em 5%. Viver com obesidade, em 20%. Consumo excessivo de álcool, em 30%. E viver com solidão? Aumenta nossa chance de morte precoce em 45%.[16]

Chegamos até aqui por medo

Então, como nos tornamos tão categorizados e solitários? Não podemos presumir que nos categorizarmos seja o que nos torna mais solitários. Não é assim que a pesquisa funciona. Não podemos simplesmente dar um salto desses. Mas podemos reconhecer que estamos com problemas numa série de esferas possivelmente inter-relacionadas, e precisamos entender todas elas se quisermos uma mudança.

Toda resposta à pergunta "Como chegamos até aqui?" tem garantia de ser complexa. Mas, se eu precisasse identificar uma variável principal que comanda e amplifica nossa compulsão por nos categorizarmos em facções ao mesmo tempo em que nos isola da verdadeira conexão com o outro, minha resposta seria o medo. Medo da vulnerabilidade. Medo de nos machucarmos. Medo da dor da desconexão. Medo da crítica e do fracasso. Medo do conflito. Medo de não estar à altura. *Medo.*

Comecei minha pesquisa seis meses antes do 11 de Setembro e, como já escrevi em outro lugar, eu vi o medo nos mudar. Vi o medo passar por cima de nossas famílias, organizações e comunidades. Nossa pauta nacional é centrada em "O que devemos temer?" e "A quem devemos culpar?".

Não sou especialista em terrorismo, mas estudei o medo por mais de quinze anos, e o que posso dizer é: o terrorismo é um medo liberado com o tempo. O objetivo final do terrorismo global e doméstico é realizar ataques que incutem o medo tão fundo no coração de uma comunidade que ele se torna um modo de vida. Esse modo inconsciente de viver, então, fomenta tanta raiva e culpa que as pessoas começam a se voltar umas contra as outras. O terrorismo é mais eficaz quando deixamos que o medo crie raízes em nossa cultura. Daí é apenas questão de tempo até que nos tornemos divididos, isolados e dominados por nossas percepções de escassez. Embora as tendências de categorização e solidão já existissem antes do 11 de Setembro, dados nos mostram que elas cresceram de forma significativa nos últimos quinze anos.

De uma forma meio instintiva, o trauma e a devastação iniciais da violência unem os seres humanos por um período relativamente curto de tempo. Se durante esse período inicial de união conseguimos conversar abertamente sobre nosso luto e medo coletivos — se nos voltamos um para o outro com vulnerabilidade e amor, buscando também justiça e responsabilização —, esse pode ser o começo de um longo processo de cura. Se, no entanto, o que nos une é uma combinação de ódio compartilhado e medo sufocado que acaba sendo expresso na forma de culpa, estamos em apuros. Se nossos líderes se precipitam e oferecem um inimigo ideológico que podemos atacar em vez de identificar metodicamente o verdadeiro culpado, o que experimentamos é um desvio emocional do que está realmente acontecendo em nossos lares e comunidades.

As bandeiras tremulam em cada varanda e os memes estão em alta nas redes sociais, tudo isso enquanto o medo se aprofunda e se espalha. O que parece um esforço de reagrupamento não passa de um disfarce para o medo, que pode então se alastrar pela terra e penetrar as falhas tectônicas do país. À medida que o medo se fortalece, ele se expande e se torna menos uma barreira protetora e mais uma divisão sólida. Isso força o caminho para baixo entre as nossas brechas e destrói a nossa base social, já enfraquecida com aquelas pequenas rachaduras.

E não é só o terrorismo global e doméstico que incute medo em nossas culturas. A violência armada generalizada e aleatória, bem como ataques sistemáticos contra grupos sociais e a crescente toxicidade das redes sociais — tudo isso projeta medo feito lava quente, fluindo por nossas comunidades, ocupando espaços e, no fim, trabalhando para devastar lugares já fragilizados e disfuncionais.

No caso dos Estados Unidos, nossas três maiores falhas tectônicas — rachaduras que cresceram e se aprofundaram devido a uma negligência teimosa e a uma falta generalizada de coragem — são a raça, o gênero e a classe social. O medo e a incerteza oriundos daquele trauma coletivo de tantas facetas vêm expondo essas feridas abertas de um jeito profundamente polarizador *e também* necessário.

Esses são debates que precisam acontecer; um desconforto que precisa ser sentido. *Ainda assim*, por mais que seja hora de confrontarmos essas e outras questões, devemos reconhecer que a nossa falta de tolerância a conversas difíceis e vulneráveis vem provocando a nossa autocategorização e desconexão.

Será que conseguimos encontrar o caminho de volta até nós mesmos e até o outro sem deixarmos de lutar por nossos ideais? Não e sim. Não — nem todos conseguirão fazer ambas as coisas, simplesmente porque algumas pessoas continuarão acreditando que lutar por aquilo de que precisam implica negar a humanidade do outro. Isso impossibilita qualquer conexão para além dos nossos bunkers. Mas acredito que a maioria de nós é capaz de criar conexão através das diferenças e ainda lutar por nossos ideais, isso se nos dispusermos a ouvir e abraçarmos a vulnerabilidade. Felizmente, se apenas uma parcela da população acreditar na busca de amor e conexão através das diferenças já bastará para mudar tudo. Agora, se não estivermos nem dispostos a tentar, o valor daquilo por que estamos lutando será severamente reduzido.

Os dados resultantes da pesquisa sobre o verdadeiro pertencimento talvez comecem a responder por que estamos categorizados, mas solitários, e quem sabe contribuam para novos insights sobre como podemos recuperar a autenticidade e a conexão. O verdadeiro pertencimento não conhece bunkers. Precisamos sair de trás das barricadas da autopreservação e desbravar a natureza selvagem.

Aglomerados nos bunkers, não temos que pensar em vulnerabilidade, coragem ou empatia. Só temos que fazer o que esperam de nós. O problema é que isso não está funcionando. Bunkers ideológicos nos protegem de tudo, *menos* da solidão e da desconexão. Em outras palavras, não estamos protegidos das piores angústias de todas.

No restante deste livro, veremos como resgatar conexão humana e verdadeiro pertencimento do meio da categorização e do isolamento. Precisamos achar nosso caminho de volta uns para os outros ou o medo vencerá. Se você já leu meus trabalhos anteriores, sabe que isso não vai ser fácil. Tal como ocorre com todos os esforços significativos, vai exigir vulnerabilidade e a disposição para escolher a coragem no lugar da comodidade. Teremos que atravessar, ou, ainda melhor, aprender a *nos tornarmos* a natureza selvagem.

O agudo solitário pode se mostrar um belo e poderoso lugar se conseguirmos assumir nossa dor e partilhá-la, em vez de infligi-la aos outros. E, se conseguirmos achar um jeito de *sentir* a mágoa em vez de *semeá-la* por aí, a mudança será possível. Acredito num mundo onde podemos produzir e partilhar arte e palavras que nos ajudarão a descobrir nosso caminho de volta até o outro. Então, em vez de gritar de longe e dar as costas ao outro nas dificuldades, encontraremos coragem suficiente para oferecer ajuda e apoio. Como Townes Van Zandt canta numa de minhas canções favoritas com agudo solitário, "If I Needed You":[17]

I would come to you,
I would swim the seas
*for to ease your pain.**

* "Eu iria até você,/ nadaria os oceanos/ para aliviar sua dor." (*N. do T.*)

quatro DE PERTO É MAIS DIFÍCIL ODIAR O OUTRO. APROXIME-SE.

Imagino que um dos motivos de as pessoas teimarem tanto
em se apegar a seus ódios seja a intuição de que,
assim que o ódio se for, elas serão forçadas a lidar com a dor.

— *James A. Baldwin*[1]

Se recuarmos bem o zoom e batermos uma foto em grande-angular do nosso mundo cada vez mais definido por notícias, política e redes sociais 24 horas por dia, veremos um bocado de ódio. Veremos posicionamentos arrogantes, xingamentos e troca de ridicularizações. Veremos políticos criando leis que eles mesmos não terão que seguir, graças a seus próprios recursos, e exibindo atitudes que custariam à maioria de nós nosso emprego, nossa família e nossa dignidade. Nas redes sociais, vemos opiniões isentas de responsabilidade, veracidade e, pior de tudo, identidade.

Mas, quando damos um zoom em nossa própria vida, a imagem muda de um coração frio, furioso e atrofiado para a pulsação vibrante de nossa existência cotidiana. Nós sentimos amor e conhecemos a dor. Sentimos esperança e conhecemos as dificuldades. Enxergamos a beleza e sobrevivemos aos traumas. Nem todos contamos com a proteção do privilégio e com o luxo do anonimato. Tentamos construir vidas conectadas e amorosas enquanto preparamos marmitas, damos carona, vamos para o trabalho e investimos em cada momento possível de alegria.

Enquanto o mundo mais amplo caminha para o que parece ser um colapso total do discernimento moral e da comunicação produtiva, as mulheres e os homens que entrevistei e que traziam em si a noção mais forte de verdadeiro pertencimento mantiveram o zoom *em suas próprias vidas.* Não que ignorassem o que acontecia no mundo ou tivessem deixado de defender seus ideais. Mas eles se empenharam em avaliar a vida e formar suas opiniões sobre as pessoas a partir das suas experiências reais, olho no olho. Fugiram assim da armadilha em que a maioria de nós caiu: *É possível odiar grandes grupos de estranhos, porque os membros desses grupos que por acaso eu conheço e de quem gosto são raras exceções.*

Vamos dar uma olhada em três exemplos de participantes da pesquisa.

A retórica política: *Os democratas são uns otários.*

Sua experiência: Para uma conservadora de longa data, isso parece fazer bastante sentido. Mas e aquela sua colega de trabalho mais próxima — aquela que levou você de carro até o hospital, quando ligaram dizendo que o seu marido teve um ataque cardíaco na academia e estava sendo conduzido às pressas para o pronto-socorro? A que ficou com você na unidade cardíaca, depois correu para pegar seus filhos na escola e ficou com eles em casa? Que a ajudou a preparar o funeral e assumiu as suas tarefas enquanto você esteve fora? *Ela* não é uma otária. Você na verdade a ama. E ela é uma democrata.

A retórica política: *Os republicanos são uns babacas egoístas.*

Sua experiência: Você concorda cem por cento! *Exceto* pelo seu genro, que é um marido amoroso e maravilhoso para o seu filho e um pai mais do que incrível para a sua neta. Graças a Deus ele está na família. Ainda mais do que o seu filho, é ele quem manda para você e para a sua esposa todas aquelas fotos fofas e os mantêm sempre em contato com a sua netinha. *Ele* não é egoísta. *Ele* não é um babaca. E ele é um republicano.

A retórica política: *Ativistas antiaborto são hipócritas fundamentalistas de mente fechada*

Sua experiência: Como ativista feminista, você não poderia concordar mais! Exceto pela ótima professora que você teve no ensino médio católico. Ela foi a pessoa mais íntegra que você já conheceu e vivia a incentivando a pensar criticamente sobre assuntos difíceis, mesmo que fosse para discordar dela depois. De fato foi ela quem ensinou você a ser uma ativista eficiente. *Ela* não é hipócrita nem tem a mente fechada. E ela é pró-vida.

E se o que experimentamos mais de perto for verdadeiro, e tenhamos que questionar o que ouvimos no noticiário e da boca de políticos inescrupulosos? De perto, é mais difícil odiar o outro. E, quando sentimos dor e medo, a raiva e o ódio são normalmente as emoções que escolhemos. Quase todo mundo que eu já entrevistei ou conheço vai dizer que é mais fácil ficar puto da vida do que triste ou assustado.

Às vezes imagino como seria colocar o mundo inteiro num documento de Word e usar o "Localizar e substituir" entre as palavras e ações de ódio e aquelas de dor. Como seria se eu pudesse substituir o ódio dos negacionistas do massacre de Sandy Hook pela dor, ou o meu próprio ódio a eles pela minha dor quanto ao tipo de mundo em que vivemos, onde fazem coisas assim? Como seria essa conversa? Será que funcionaria? Funcionaria perguntar aos supremacistas brancos sobre a dor que norteia o seu ódio e que, por sua vez, cria tanta dor e medo para os outros?

Algumas vezes, eu admito, não dou a mínima. Houve épocas desse processo de pesquisa em que eu senti vontade de gritar: *Podem ficar com o verdadeiro pertencimento para vocês! Eu fico com o meu ódio!* Minha filha estava lendo um livro sobre "vida na faculdade", e os três primeiros capítulos eram basicamente lições sobre como evitar uma agressão sexual. Será que eu realmente me importo com a dor que guia esses cretinos bêbados e violentos que fazem das universidades lugares tão perigosos a ponto de as alunas precisarem de um livro ensinando a fugir dessas pessoas? Não. *Danem-se vocês e a dor das pessoas que causam dor. Eu fico com a minha querida e orgulhosa raiva.*

Mas qual é o fim disso? Ignorar a nossa própria dor e a dor do outro não está funcionando. Por quanto tempo ainda vamos continuar tirando gente afogada do rio, uma a uma, em vez de ir até a nascente e descobrir a origem da dor? O que precisa acontecer para abandonarmos a soberba e viajarmos juntos até o berço dessa dor que nos abate de tal maneira que é impossível conseguirmos salvar a todos?

A dor é implacável. Cedo ou tarde ela consegue chamar nossa atenção Apesar das nossas tentativas de mergulhá-la em vícios, descontá-la fisicamente nos outros, sufocá-la com o sucesso e com adornos materiais ou ainda estrangulá-la com o nosso ódio, a dor vai dar um jeito de se fazer sentir.

Ela só vai parar quando a reconhecermos e cuidarmos dela. Abordá-la com amor e compaixão exigiria uma ínfima parcela da energia necessária para combatê-la, mas aproximar-se da dor nos aterroriza. A maioria de nós não foi ensinada a admiti-la, verbalizá-la e conviver com ela. Nossas famílias e nossa cultura viam a vulnerabilidade necessária para reconhecer a dor como fraqueza, então nos ensinaram a raiva, o rancor e a negação. Mas o que sabemos agora é que, quando negamos nossas emoções, elas se apropriam de nós. Quando nos apropriamos das emoções, temos condições de reconstruir e encontrar nosso caminho em meio à dor.

Por vezes, apropriar-se da dor e expor esse esforço de lidar com ela nos leva à raiva. Quando nos negamos o direito de sentir raiva, negamos nossa dor. São muitas as mensagens vexatórias cifradas na retórica do "Por que tanta agressividade?", do "Chega de histeria", do "Quanta raiva vindo de você!" e do "Não leve isso para o lado pessoal". Todas essas reações costumam sugerir algo como *A sua emoção/opinião está me deixando desconfortável* ou *Engula isso e fique na sua*.

Uma reação típica seria: "Fique com raiva e continue assim!". Esse conselho não se sustentou na minha pesquisa. O que descobri é que, sim, todos temos o direito e a necessidade de sentir raiva e de nos apropriarmos dela. É uma importante experiência humana. Mas também é *fundamental* reconhecer que não dá para ficar guardando qualquer raiva, rancor ou desprezo (aquela mistura querida de um pouco de rancor com um pouco de desgosto) por um período muito longo de tempo.

A raiva age como um catalisador. Guardá-la nos deixa exaustos e doentes. Internalizar a raiva tira nossa alegria e vitalidade; externalizá-la nos deixa menos eficientes na tentativa de criar mudanças e conexões. É uma emoção que precisamos transformar em algo que dê vida: coragem, amor, mudança, compaixão, justiça. Ou às vezes a raiva pode mascarar uma emoção bem mais delicada, como a tristeza, o remorso ou a vergonha, e precisamos usá-la para descobrir o que realmente estamos sentindo. Seja como for, a raiva é um poderoso catalisador, mas também uma companhia capaz de sugar sua vida.

Não consigo pensar num exemplo mais poderoso do que a frase "Vocês não terão o meu ódio". Em novembro de 2015, a esposa de Antoine Leiris, Hélène, foi morta por terroristas na casa de shows Bataclan, em Paris, junto de outras 88 pessoas. Dois dias depois dos ataques, numa carta aberta postada no Facebook endereçada aos assassinos de sua esposa, Leiris escreveu:

> Na noite de sexta, vocês tiraram a vida de um ser excepcional, o amor da minha vida, a mãe do meu filho, mas não terão o meu ódio. Não sei quem vocês são e não quero saber. Você são almas mortas. Se aquele Deus pelo qual vocês cegamente matam nos fez à Sua imagem, cada bala no corpo da minha esposa terá sido uma ferida em Seu coração.
>
> Então, não, não vou lhes dar a satisfação de odiá-los. Isso é o que vocês querem, mas responder ao seu ódio com raiva seria ceder à mesma ignorância que fez de vocês o que são. Vocês querem que eu sinta medo, que veja meus concidadãos com desconfiança, que sacrifique minha liberdade em troca de segurança. Pois fracassaram. Eu não vou mudar.

Leiris continua:

> Somos apenas dois — meu filho e eu —, mas somos mais fortes que todos os exércitos do mundo. Enfim, não vou mais perder tempo com vocês, preciso estar com Melvil, que acabou de acordar da sua soneca. Ele só tem um ano e cinco meses. Vai comer seu lanche como faz todo dia, então vamos brincar como fazemos todo dia, e pelo resto da sua vida esse menino vai desafiar vocês sendo feliz e livre. Porque vocês tampouco terão o ódio dele.[2]

A coragem é forjada na dor, mas não em toda dor. A dor que é negada ou ignorada se torna medo ou ódio. A raiva nunca ressignificada se torna ressentimento e amargura. Eu amo o que o Prêmio Nobel da Paz Kailash Satyarthi disse em sua palestra no TED de 2015:

> A raiva habita cada um de vocês, e vou partilhar um segredo por uns poucos segundos: se ficarmos confinados nas conchas apertadas dos egos e nos círculos do egoísmo, a raiva se tornará ódio, violência, vingança, destruição. Mas, se formos capazes de romper esses círculos, a mesma raiva pode se transformar num grande poder. Temos como romper os círculos usando nossa compaixão inerente, e nos conectar com o mundo pela compaixão para deixá-lo melhor. A mesma raiva poderia se transformar nisso.[3]

Pagamos pelo ódio com a própria vida, e esse é um preço alto demais.

Os limites sempre existem. Mesmo na natureza selvagem.

Quando nos dispomos a nos aproximar, estamos nos dispondo a, cedo ou tarde, entrar num confronto de verdade, cara a cara. Quer seja durante o jantar, no trabalho ou na fila do mercado, o confronto olho no olho é sempre difícil e desconfortável. E quando envolve família é ainda mais difícil e doloroso. Se a sua família for minimamente parecida com a minha, você já se viu obrigado a convocar o amor e a decência diante de emoções que vão da leve frustração à ira.

Manter a coragem e se firmar sozinho quando necessário, no meio da família ou da comunidade, ou de estranhos raivosos, parece uma natureza selvagem e indomável. Quando começo a pensar: *Já chega! Isso é difícil demais. Estou muito perdida!*, ouço as palavras de Maya Angelou ecoando: *O preço é alto. A recompensa é ótima.*[4]

Mas eis aqui uma questão que me surgiu durante a pesquisa: Qual é o limite? Será que *existe* um limite na natureza selvagem separando comportamentos toleráveis dos que não são? A recompensa pode ser ótima, mas eu preciso mesmo aturar alguém que está me detonando ou questionando o meu próprio direito de existir? Será que existe um limite que não devia ser ultrapassado? A resposta é sim.

Os participantes que praticavam o verdadeiro pertencimento falaram abertamente sobre os seus limites. De fato, essa pesquisa confirmou o que eu havia descoberto no trabalho anterior: quanto mais nítidos e respeitados os limites, maior o grau de empatia e compaixão pelo outro. Limites pouco nítidos? Menor abertura. É difícil conservar a boa vontade quando se sente que estão se aproveitando ou ameaçando você.

Examinando as informações, vi que o limite foi traçado em favor da segurança física e do que as pessoas chamavam de *segurança emocional*. "Segurança física" fazia sentido. A segurança física é um dos pré-requisitos não negociáveis da vulnerabilidade. Não temos como ficar vulneráveis e abertos se não nos sentirmos fisicamente seguros.

"Segurança emocional" era um pouco mais ambíguo. Isso é ainda mais válido num mundo onde a expressão "segurança emocional" costuma ser usada para dizer que *Não preciso ouvir nenhum ponto de vista diferente do meu, ou de que eu desgoste, ou que para mim esteja errado, ou que vai me deixar chateado, ou que não está à altura da minha ética política*. Precisei investigar mais a fundo para entender melhor.

Quando pedi dos participantes exemplos de quando se sentiram emocionalmente inseguros ou ameaçados, um padrão bem nítido surgiu. Eles não falavam em ter seus sentimentos feridos ou serem forçados a ouvir opiniões antagônicas; eles falavam em linguagem e comportamento *desumanizadores*. Reconheci isso no ato. Vinha estudando a desumanização e observando isso no meu trabalho havia mais de uma década.

David Smith, autor de *Less Than Human*, explica que a desumanização é uma resposta a motivos conflitantes. Queremos causar o mal a um grupo de pessoas, mas vai contra a nossa natureza (enquanto membros de uma espécie social) chegarmos ao ponto de ferir, matar, torturar ou degradar outros seres humanos. Smith explica que existem inibições bem profundas e inatas que nos impedem de tratar outras pessoas feito animais, caça ou predadores perigosos. E escreve: "A desumanização é uma forma de subverter essas inibições."[5]

A desumanização é um processo. Michelle Maiese, diretora do Departamento de Filosofia da Emmanuel College, expõe isso de um jeito que para mim faz sentido, então vou usar alguns de seus trabalhos aqui para nos orientar.

Maiese define a desumanização como "o processo psicológico de demonização do inimigo, fazendo com que ele pareça menos que gente e, portanto, indigno de tratamento humano".[6] A desumanização geralmente começa com a criação de uma *figura do inimigo*. Quando escolhemos um dos lados, ficamos desconfiados e cada vez mais raivosos, não só reforçamos a ideia de termos um inimigo, também vamos perdendo a capacidade de escutar, de nos comunicarmos e de praticar um mínimo de empatia.

Quando vemos as pessoas do "outro lado" de um confronto como moralmente inferiores e até perigosas, o confronto passa a representar o bem contra o mal. Maiese escreve: "A partir do momento em que as partes estabelecem o confronto dessa forma, suas posições se tornam mais rígidas. Em alguns casos, a mentalidade de soma-zero se desenvolve quando as partes passam a crer que precisam necessariamente garantir a própria vitória ou enfrentar a derrota. Surgem novas metas para punir ou destruir o oponente, e em alguns casos a liderança mais combativa chega ao poder."[7]

A desumanização já motivou inúmeros atos de violência, violações de direitos humanos, crimes de guerra e genocídios. Foi o que possibilitou a escravidão, a tortura e o tráfico de pessoas. Desumanizar o outro é o processo pelo qual nos tornamos cúmplices de violações contra a natureza humana, contra o espírito humano e, para muitos de nós, de violações contra os dogmas centrais de nossa fé.

Como isso acontece? Maiese explica que a maioria de nós crê que os direitos humanos básicos das pessoas não podem ser violados — que crimes como assassinato, estupro e tortura são errados. A desumanização bem-sucedida, porém, cria uma *exclusão moral*. Grupos selecionados com base em sua identidade — gênero, ideologia, cor de pele, etnia, religião, idade — são retratados como inferiores, criminosos ou mesmo malignos. Cedo ou tarde o grupo-alvo é expulso do escopo de quem naturalmente recebe a proteção do nosso código moral. Isso é exclusão moral, e a desumanização está em sua essência.

A desumanização sempre começa pela linguagem, e com frequência é acompanhada por imagens. Testemunhamos isso ao longo da história. Durante o holocausto, os nazistas descreviam os judeus como *Untermenschen* — sub-humanos. Chamavam os judeus de ratos e os retratavam como roedores transmissores de doenças, fosse em panfletos militares ou em livros infantis. Os hútus envolvidos no genocídio de Ruanda chamavam os tútsis de baratas. É comum referirem-se aos povos indígenas como selvagens. Os sérvios chamavam os bósnios de alienígenas. Donos de escravizados ao longo da história os consideravam animais sub-humanos.

Eu sei, é difícil acreditar que poderíamos chegar ao extremo de privar pessoas de um mesmo tratamento moral, de nossos valores morais básicos, mas é contra a biologia que estamos lutando aqui. Fomos criados para acreditar no que vemos e dar sentido às palavras que ouvimos. Não podemos achar que todo cidadão que participou ou foi espectador de atrocidades contra a humanidade fosse um psicopata violento. Isso é impossível, não é verdade e não atinge o xis da questão. A questão é que somos todos vulneráveis à lenta e insidiosa prática da desumanização, portanto todos temos a responsabilidade de identificá-la e impedi-la.

Coragem para abraçar a nossa humanidade

Com tantos sistemas de poder embotados removendo certos grupos do âmbito do que consideramos humano, grande parte do nosso trabalho atual tem mais a ver com uma "reumanização". E ela começa do mesmo jeito que a desumanização — com palavras e imagens. Hoje nos aproximamos cada vez mais de um mundo onde o discurso político e ideológico se tornou um exercício de desumanização. E as redes sociais servem como as principais plataformas do nosso comportamento desumanizador. No Twitter e no Facebook, podemos num instante empurrar as pessoas com as quais discordamos para o perigoso território da exclusão moral, quase sem nenhuma responsabilização e por vezes no completo anonimato.

Eu acredito no seguinte:

1. Se você se ofende ou fica triste ao ouvir Hillary Clinton ou Maxine Waters sendo chamadas de vacas, vadias ou p****, devia ficar

igualmente ofendido e triste ao ouvir essas mesmas palavras sendo usadas contra Ivanka Trump, Kellyanne Conway ou Theresa May.

2. Se você se sentiu menosprezado quando Hillary Clinton chamou os partidários de Trump de "bando de deploráveis", devia ter se importado também quando Eric Trump afirmou que "os democratas não são nem pessoas".
3. Quando o presidente dos Estados Unidos chama mulheres de cachorros ou sugere pegá-las pela vagina, devemos sentir um arrepio subir pela espinha e as veias latejando de repulsa. Quando chamam o presidente dos Estados Unidos de porco, temos que rejeitar esse linguajar, não importa qual seja a nossa visão política e exigir uma fala que não sub-humanize ninguém.
4. Quando ouvimos pessoas sendo chamadas de animais ou de alienígenas, devemos nos perguntar na mesma hora: "Estão tentando reduzir a humanidade delas para podermos feri-las sem culpa ou tirar delas os direitos humanos mais básicos?"
5. Se você se ofende com um meme do Trump photoshopado como Hitler, não devia ter um Obama photoshopado de Coringa no seu feed do Facebook.

Aquele limite existe. Está marcado pela dignidade. E gente furiosa e assustada da direita e da esquerda o está cruzando vezes sem precedentes diariamente. Não devemos nunca tolerar a desumanização — o principal instrumento de violência utilizado em todos os genocídios registrados ao longo da história.

Quando nos dedicamos a desumanizar a retórica ou a promover imagens desumanizadoras, diminuímos a nossa própria humanidade. Reduzir muçulmanos a terroristas, mexicanos a "ilegais" ou policiais a porcos não revela absolutamente nada sobre aqueles que atacamos. Mas revela horrores sobre quem somos e com quanta integridade estamos agindo.

Desumanizar e responsabilizar o outro são atitudes mutuamente excludentes. A humilhação e a desumanização não são ferramentas de responsabilização ou de justiça social, são extravasões emocionais na melhor das hipóteses e, na pior delas, autoindulgência emocional. E, se a nossa fé nos pede para buscar a face de Deus em todos que encontramos, isso devia incluir os políticos, a mídia e os estranhos do Twitter dos quais discordamos mais fervorosamente. Quando profanamos a divindade deles, profanamos a nossa própria e traímos nossa fé.

O desafio de viver seguindo padrões mais elevados requer zelo e atenção constantes. Estamos tão saturados por essas palavras e imagens que por pouco ainda não normalizamos as exceções morais. Além de zelo e atenção, precisamos de coragem. A desumanização funciona porque aqueles que se erguem contra o que costumam ser sofisticadas campanhas usando a figura do inimigo — ou aqueles que lutam para que continuem todos moralmente incluídos e garantidos nossos direitos humanos básicos — muitas vezes enfrentam severas represálias.

Um exemplo importante é o debate em torno dos movimentos Black Lives Matter, Blue Lives Matter e All Lives Matter. Você é capaz de acreditar que as vidas de pessoas negras importam e ainda se preocupar de verdade com o bem-estar dos policiais? Claro que sim. Você é capaz de se importar com o bem-estar dos policiais e ao mesmo tempo temer os abusos de poder e o racismo sistêmico na aplicação da lei e no sistema de justiça criminal? Sim. Eu tenho parentes que são policiais — e me preocupo profundamente com a segurança e o bem-estar deles. Quase todo o meu trabalho *pro bono* é feito com os militares e servidores públicos como a polícia — eu me importo. E, quando nos importamos, todos devíamos querer sistemas que no mínimo reflitam a honra e a dignidade das pessoas que neles atuam.

Mas então, se é o caso de nos preocuparmos com os cidadãos e com a polícia, será que o grito de guerra não devia ser apenas o de que toda vida importa? Não. Porque a humanidade não foi privada de todas as vidas tal como foi privada da vida dos cidadãos negros. Para que a escravidão funcionasse, para podermos comprar, vender, surrar e trocar pessoas feito animais, os americanos tiveram que desumanizar os escravizados por completo. E, quer tenhamos participado diretamente disso ou apenas existido numa cultura que em determinada época normalizou tal comportamento, isso nos moldou. Não temos como corrigir um grau de desumanização desses em uma ou duas gerações. Creio que o Black Lives Matter seja um movimento de reumanização dos cidadãos negros. Todas as vidas importam, mas nem todas precisam de um resgate em prol da inclusão moral. Nem todos foram submetidos a um processo psicológico de demonização ou foram reduzidos a menos que humanos, que servisse para justificar a prática desumana da escravidão.

Existem tensão e vulnerabilidade ao apoiar tanto a polícia quanto os ativistas? Nossa, e como! É a natureza selvagem. Mas a maioria das críticas vem de gente com a intenção de forçar essas falsas dicotomias e de nos repreender por não odiarmos as pessoas certas. É definitivamente mais complexo assumir uma postura moderada, mas também algo crucial para o verdadeiro pertencimento.

Outro exemplo de como aguentar a tensão apoiando um sistema que amamos sem livrá-lo da responsabilização vem de um dos participantes da pesquisa, um ex-atleta da Penn State. Ele assumiu uma postura firme em defesa dos sobreviventes de abuso sexual infantil, que sofreram com o silêncio do programa universitário de futebol americano e com a proteção de Joe Paterno a Jerry Sandusky.[8] Nosso participante comentou que mal acreditava no ódio de alguns de seus amigos, gente que ele conhecia havia trinta anos. Ele disse: "Quando você ama um lugar como nós amamos a Penn [State], você luta para deixá-lo melhor, para admitir nossos problemas e resolvê-los. Você não finge que está tudo bem. Isso não é lealdade ou amor, é só medo."

Quando a cultura de qualquer instituição dita que proteger a reputação de um sistema e de seus líderes é mais importante do que a dignidade humana básica dos indivíduos que servem àquele sistema ou que são servidos por ele, tenha a certeza de que a vergonha ali é sistêmica, o dinheiro está acima da ética e a responsabilização está praticamente morta. Isso vale para corporações, ONGs, universidades, governos, comunidades religiosas, escolas, famílias e programas esportivos. Se você pensar em qualquer grande escândalo do passado recheado de encobrimentos, vai identificar esse mesmo padrão. E tais encobrimentos quase sempre se reparam e se resolvem na natureza selvagem — quando uma pessoa sai de seu bunker e expõe a sua verdade.

Pensando nessa nossa passagem de "nos encaixarmos" até adentrar a natureza selvagem do verdadeiro pertencimento, estaremos bem servidos ao entender e reconhecer os limites de respeitar a segurança física de todos e não participar de experiências ou comunidades que usem linguagem ou comportamentos desumanizadores. Acredito que "segurança emocional" não seja a expressão certa para isso. Não tem a ver com sentimentos feridos, mas com o princípio básico do perigo físico e da violência.

Transformação de conflitos

Além da coragem de ser vulnerável e da disposição para praticar nossas habilidades BRAVING, aproximar-se significa que precisamos de ferramentas para lidar com um conflito. Pedi uma ajuda à minha amiga e colega de profissão, a Dra. Michelle Buck. Buck é professora clínica de liderança na Faculdade Kellogg de Administração, na Universidade Northwestern, onde atuou como a primeira diretora de iniciativas de liderança. Ela passou os últimos vinte anos ensinando a transformação de conflitos. Sua abordagem tem o potencial de mudar a forma como nos comportamos nessas situações. A seguir está minha entrevista com ela. Deixei nesse formato por querer que você leia as suas palavras exatas — são bem poderosas.[9]

Quando sinto que já estou sem cabeça para continuar, minha atitude às vezes é de "concordar em discordar" e encerrar a questão. O que você acha dessa abordagem?

As pessoas costumam se calar ou "concordar em discordar" sem explorar mais a fundo a verdadeira natureza do desacordo, para proteger um relacionamento e conservar aquela conexão. Mas, quando evitamos certos debates e nunca entendemos direito como o outro se sente em relação a todas as questões envolvidas, podemos fazer suposições que não só perpetuam como também aprofundam os mal-entendidos, com potencial para gerar ressentimento. Esses resultados são por vezes piores para o relacionamento do que simplesmente encarar a tal "discussão". O segredo é aprender a atravessar confrontos ou diferenças de opinião de modo a ampliar o entendimento mútuo, mesmo que no fim as duas pessoas não cheguem a um consenso. Imagine que, (...) depois de uma conversa crucial, duas pessoas poderiam de fato ter um entendimento mútuo maior, um respeito mútuo maior e uma conexão melhor, mesmo discordando inteiramente entre si. É bem diferente de evitar uma conversa e não conhecer o outro lado da moeda.

Então, se decidirmos ser corajosos e continuarmos a conversa, como fazemos para abraçar a vulnerabilidade e manter a civilidade?

Um dos principais conselhos que dou aos meus executivos e alunos da graduação é abordar explicitamente as *intenções* implícitas. Sobre o que é a discussão, e do que ela *realmente* trata? Pode parecer simples, mas costuma ser mais difícil fazer do que falar. A intenção serve de base para explicar por que um assunto importa tanto para alguém. Precisamos entender o que mais importa para nós, e descobrir por que esse assunto também é tão importante para a outra pessoa. Por exemplo: dois membros de uma família podem discordar amargamente sobre o planejamento de um evento familiar. Um ou ambos talvez tenham uma intenção implícita de criar mais chances de integrar a família, o que já soaria bem diferente das questões do tal desacordo. Expor a nossa intenção não significa que passaremos a ter as mesmas preferências ou opiniões, mas isso geralmente ajuda a enfrentar debates difíceis e a conservar ou criar uma conexão, entendendo mais de perto os motivos e interesses uns dos outros.

Uma das minhas piores defesas quando me vejo ansiosa ou com medo no meio de um confronto é "colocar a pessoa contra a parede". Eu entro no modo advogada vilã e interrogo as pessoas em vez de ouvir. "Semana passada você disse uma coisa. Agora está dizendo outra. Você mentiu antes ou agora?" É horrível e sempre acaba mal, mas é assim que eu consigo "estar com a razão". Qual a solução?

Essa é uma estratégia bem comum. Mas, se quiser transformar um desacordo numa oportunidade de conexão, você precisa separar passado, presente e futuro. Quando as desavenças giram em torno do que aconteceu no passado, é fácil cair na interminável ladainha do "Mas você disse que...", "O que eu disse foi que...". Focar no que aconteceu ou deixou de acontecer no passado, ou nas circunstâncias que levaram à atual situação, costuma aumentar a tensão e reduzir a conexão. Um primeiro passo crucial é mudar o foco para "Em que pé estamos *agora*?", e o ponto da virada mais importante chega quando focamos no futuro. Qual a nossa meta para o futuro? Onde queremos que nosso relacionamento esteja mais adiante, e o que precisamos fazer, ainda que discordemos, para criar esse futuro? O que queremos para a nossa família no futuro (...) ou para nossa equipe, nossa comunidade religiosa ou nossa indústria? Essa mudança de foco não significa necessariamente que concordemos em tudo, mas pode ajudar a identificar um acordo quanto a um futuro compartilhado que desejamos criar juntos.

Gostei de você ter usado a expressão "transformação *de conflitos", e não* "resolução". *Parece ter mais a ver com conexão para mim, de alguma forma. Qual a diferença?*

No meu trabalho, sempre escolho focar na "transformação de conflitos", em vez da clássica expressão "resolução de conflitos". Para mim, resolução sugere voltar a um estado anterior das coisas, e traz uma conotação de que pode haver um ganhador ou um perdedor. Como essa discordância vai se resolver? A solução de quem vai ser escolhida como a "melhor"? Já eu prefiro focar na "transformação de conflitos", sugerindo que, se avançarmos de forma criativa pelo cenário conversacional de diferenças e discordâncias, vamos ter a chance de criar algo novo. No mínimo, a gente aprende mais sobre o outro do que sabia antes. Idealmente, podemos achar novas possibilidades que ainda nem tínhamos considerado. Transformação de conflitos tem a ver com criar uma compreensão mais profunda. Isso requer uma tomada de perspectiva. Como resultado, possibilita uma conexão maior, havendo ou não concordância.

Última pergunta! Eu passo boa parte do tempo pensando na minha réplica enquanto a pessoa ainda está falando. Quero sempre ter uma resposta na ponta da língua, para "rebater". Mas odeio quando fazem isso comigo. É nítido quando alguém não está prestando atenção. Isso é péssimo. Como desacelerar as coisas no calor de um conflito?

Um dos passos mais essenciais nessa comunicação transformadora, e talvez o mais corajoso, não é apenas ter a mente aberta, mas ouvir com desejo de aprender mais sobre a perspectiva do outro. Acredito, e digo isso aos meus alunos, que uma das coisas mais corajosas a se dizer numa conversa desconfortável é "Fale mais sobre isso". Exatamente quando queremos nos afastar e mudar de assunto, ou simplesmente encerrar a conversa, ou *rebater*, como você disse, também temos a chance de perguntar o que mais precisamos saber para entender por completo a perspectiva do outro. *Me ajude a entender por que isso importa tanto para você*, ou *Me ajude a entender por que você discorda de tal ideia*. E então nós temos que ouvir. Ouvir de verdade. Ouvir para entender, não para concordar ou discordar. Precisamos ouvir para entender assim como desejamos ser entendidos.

Coragem e poder a partir da dor: uma entrevista com Viola Davis

Quero terminar este capítulo com uma entrevista que fiz com Viola Davis.[10] Você talvez conheça Viola por seus papéis em *Histórias cruzadas*,[11] *How to Get Away with Murder: Como Defender um Assassino*[12] e *Um limite entre nós* (pelo qual ganhou um Oscar de Melhor Atriz Coadjuvante).[13] Ela é a primeira atriz negra a conquistar a "tríplice coroa" da atuação — o Emmy, o Tony e o Oscar. Em 2017, ela foi listada pela revista *Time* como uma das cem pessoas mais influentes do mundo.[14]

A história de Viola exemplifica o poder da coragem diante da dor, da vulnerabilidade diante do medo e como viver e amar mais de perto levam ao verdadeiro pertencimento.

Quando pedi que me contasse sobre o início de sua jornada rumo ao verdadeiro pertencimento, Viola me disse: "Passei os primeiros três quartos da minha vida me sentindo como uma peça quadrada em cima de um buraco redondo. Eu fisicamente não me encaixava. Morava numa região irlandesa católica de Rhode Island — de meninas brancas com longos cabelos loiros. Eu era uma garota de cabelo crespo e pele escura que falava diferente. Não era bonita. Carreguei o trauma de crescer na extrema pobreza — como filha de um alcoólatra violento. Fiz xixi na cama até os 12 ou 13 anos de idade. Eu cheirava mal. Os professores reclamavam do cheiro e me mandavam para a enfermaria. Eu era inadequada. Esse foi o meu começo.

"Minha linguagem de pertencimento era a da sobrevivência: Dá para tomar um banho quente? Temos comida hoje? Será que meu pai vai matar minha mãe? Vamos achar ratos em casa?

"Eu não tinha ferramentas — carreguei esse trauma, medo, ansiedade e a incapacidade de falar por mim mesma até a fase adulta. Tudo isso estava profundamente enraizado na vergonha. Gastava toda a minha energia escondendo e mantendo em segredo a brutalidade da minha vida. Eu carreguei essa disfunção até a fase adulta."

Pedi então que me contasse sobre os primeiros passos que deu rumo à sua natureza selvagem. Viola disse: "Eu sabia que tinha medo de enfrentamentos, mas foi só quando comecei a terapia que percebi por que a ansiedade quase impedia que eu me expressasse. Passei por uma experiência na qual eu devia ter confrontado alguém que estava fazendo algo horrível comigo. O que eu percebi foi que, naquele momento, voltei a ser aquela menina de 14 anos de idade. Estava segurando a minha irmãzinha, e meu pai furava minha mãe no pescoço com um lápis. Eu gritei: 'Para com isso! Me dá esse lápis!' E foi o que ele fez. Meu pai parou e me entregou o lápis. Eu era uma criança que se viu forçada a confrontar um adulto. Tive que assumir a posição de poder antes do que eu devia e antes de estar pronta. E paguei por isso com medo."

Viola fez a transição de temer a natureza selvagem para enfrentá-la e então se tornar a natureza selvagem. Eu quis saber como isso veio a acontecer.

"Aos 38 anos, as coisas mudaram. Não pulei da cama certa manhã e tudo ficou perfeito. Eu sempre soube que era uma mulher forte, mas queria aquela 'alegria de fast-food' — alegria fácil e rápida. Mais mecanismos e truques. Também podia descambar de volta para o 'não o bastante — não bonita o bastante, não magra o bastante, não boa o bastante'. Um dia meu terapeuta me fez uma pergunta crucial: 'E se nada mudasse — sua aparência, seu peso, sua carreira —, você ficaria bem?' Pela primeira vez, pensei: *Sabe de uma coisa? Eu ficaria, sim. Ficaria mesmo.*

"Foi aí que percebi que o passado não ia me definir.

"Também me casei com um homem incrível que realmente me enxergava. Ele foi o meu presente por trabalhar com tanto afinco em mim mesma. Ele foi gentil, e enfim fui vulnerável e me abri para isso."

Perguntei a Viola: "Quando alguém pertence a si mesmo, sempre haverá críticas. Qual a sua experiência com isso?" Ela respondeu: "A indústria do entretenimento pode ser brutal. A crítica pode simplesmente dizer: 'Não é atraente o bastante. Velha demais. Pele escura demais. Não é magra o bastante.' Dizem para a gente criar uma couraça, para essas coisas não afetarem. O que ninguém diz é que essa couraça também impede tudo de sair. Amor, intimidade, vulnerabilidade.

"Não é isso que eu quero. A couraça não funciona mais. Quero ser transparente, translúcida. Para isso dar certo, não vou pegar para mim as falhas e críticas alheias. Não vou incluir o que você diz sobre mim na minha bagagem."

Não sei se existe um exemplo mais comovente de alguém que conseguiu reconhecer a dor, tomar as rédeas da própria trajetória e escrever um novo fim, que inclui transformar essa dor em compaixão pelo outro.

"Segurei a mão do meu pai quando ele morreu", contou Viola. "Ele morreu de câncer no pâncreas. Nós tínhamos curado o nosso relacionamento, e nos amávamos muito. Quando minha irmã e eu nos sentamos com ele, descobrimos que ele passou a vida toda odiando o próprio emprego. Por décadas ele cuidou de cavalos em pistas de corrida. Nós nunca soubemos que ele não gostava. Nosso pai só estudou até o segundo ano do ensino fundamental. E trabalhou também como zelador. Nós nunca soubemos que ele se sentia assim. Foi devastador para a gente pensar na dor que ele aguentou a vida toda.

"Existe essa ideia velada de que as únicas histórias dignas de serem contadas são as que aparecem nos livros de história. Isso não é verdade. Toda história importa. A história do meu pai importa. Somos todos dignos de contar as nossas histórias e também de que as ouçam. Todos precisamos ser vistos e honrados, do mesmo jeito que todos precisamos respirar."

Viola Davis é a natureza selvagem. Perguntei se o verdadeiro pertencimento se transformou numa prática para ela. Sua resposta: "Sim. Hoje eu sigo algumas regras simples na vida:

1. Estou fazendo o melhor que posso.
2. Vou permitir que me vejam.
3. Aplico o conselho que um coach de atuação me deu para todos os aspectos da vida: 'Vá além. Não tenha medo. Ponha tudo para fora. Não deixe nada no chão.'
4. Não serei um mistério para a minha filha. Ela vai me conhecer, e eu vou dividir minhas histórias com ela — as histórias de fracasso, vergonha e realização. Ela vai saber que não está sozinha nessa natureza selvagem.

'Essa é quem eu sou.'
'Essa é a minha origem.'
'Essa é minha bagunça.'
'Isso é o que significa pertencer a mim mesma.'"

cinco BATA DE FRENTE COM AS MERDAS QUE OUVIR. SEJA CIVILIZADO.

Tanto quem mente quanto quem fala a verdade atuam em campos opostos do mesmo jogo, por assim dizer. Cada um reage aos fatos como os entende, embora a reação de um seja guiada pela autoridade da verdade, enquanto a reação do outro desafia essa autoridade e se recusa a satisfazer suas exigências. O falador de merda as ignora como um todo. Ele não rejeita a autoridade da verdade, como faz o mentiroso, e opõe-se a ela; simplesmente, não lhe dá a menor atenção. Em virtude disso, falar merda é um inimigo muito pior da verdade do que mentir.

— *Harry G. Frankfurt*[1]

Sou grata a Carl Jung por nos lembrar que o paradoxo é um dos nossos bens espirituais mais preciosos, porque sem esse lembrete eu provavelmente ficaria p*** da vida com essa prática específica do verdadeiro pertencimento. Eu amo a ideia de bater de frente com as merdas que ouvimos e também acredito em civilidade — só acho muito difícil combinar os dois. Neste capítulo, vamos investigar a fundo o que estimula essas merdas, que forma costumam tomar e como nos mantemos civilizados quando já estamos atolados nelas.

Merdas

Harry Frankfurt é professor emérito de Filosofia na Universidade de Princeton. Passou sua carreira lecionando ensinando em Yale, na Rockefeller e na Ohio State. Em 2005, publicou o livro *Sobre falar merda*. É um estudo bem curto sobre a natureza das merdas que circulam por aí, como se diferenciam da mentira e por que todos acabamos falando uma merda ou outra também.

Chamaram a minha atenção três detalhes que Frankfurt aponta em seu livro, e ainda como esses detalhes refletem tão bem o que encontrei com os participantes da pesquisa, quando falaram sobre seus esforços para manter a autenticidade e a integridade ao entrarem em debates e discussões tomados por emoções, no lugar da compreensão compartilhada dos fatos. O primeiro insight é a diferença entre mentir e falar merda, explicada na citação de abertura deste capítulo: vale pensar no ato de mentir como uma afronta à verdade, e no de falar merda como uma rejeição indiscriminada da verdade.

O segundo é a vantagem de reconhecer quantas vezes falamos merda por nos sentirmos obrigados a tratar de temas que não entendemos. Frankfurt explica como a convicção geral que muitos de nós temos sobre a necessidade de comentar ou dar pitaco em cada assunto do nosso planeta leva a níveis crescentes de falação de merda. É uma loucura para mim que tantos de nós achemos necessário ter uma opinião formada sobre tudo, desde o que está acontecendo no Sudão e no Vietnã até os efeitos da mudança climática na Holanda e a política de imigração na Califórnia.

Também sou culpada disso. Não lembro uma vez no ano passado que alguém me perguntasse sobre um assunto e eu não tenha soltado ali uma opinião. Mesmo quando não sabia muito sobre o assunto para contribuir ou mesmo papear, eu me amparava em debates ideológicos partindo do que imaginava que o "meu pessoal" pensava daquilo. Também não lembro uma vez no ano passado que eu tenha perguntado a alguém sobre um assunto e recebesse a resposta: "Na verdade não sei muito bem o que está acontecendo por lá, mas me fale sobre isso, por favor."

Nem nos damos mais ao trabalho de demonstrar curiosidade, e isso porque, em algum lugar, alguém do "nosso lado" terá um posicionamento. Numa cultura como a do "ter que se adaptar" — em casa, no trabalho ou em nossa comunidade mais ampla —, ser curioso é visto como uma fraqueza e questionar representa antagonismo, em vez de ser valorizado como aprendizado.

Por fim, Frankfurt declara que a disseminação contemporânea da falação de merda tem ainda uma origem mais profunda: o fato de sermos céticos e de negarmos a possibilidade de saber a verdade de como as coisas realmente são. Ele argumenta que, quando desistimos de acreditar que existem verdades concretas que podem ser conhecidas e ainda conhecimento observável compartilhado, nós desistimos da noção de investigação objetiva. É como se todos simplesmente déssemos de ombros e disséssemos: "Tanto faz. É muito difícil chegar à verdade, então, se eu disser que é verdade, já está bom."

A astuta observação de Frankfurt quanto ao que isso nos leva parece profética em 2017. Ele declara que, ao decidirmos que não faz sentido tentarmos ser fiéis aos fatos, simplesmente recorremos a ser fiéis a nós mesmos. Esse, para mim, é o berço de uma das maiores e mais problemáticas merdas do nosso tempo: o argumento "ou você está conosco, ou contra nós".

Se você não está comigo, então é meu inimigo

Como falei brevemente antes, um dos maiores estimulantes da categorização atual é a proliferação da crença de que "ou você está conosco, ou contra nós". Essa é uma frase dramática que ouvimos sair da boca de todos (de políticos a heróis e vilões de filmes) com regularidade. É um dos mais eficazes categorizadores políticos e, em 95% das vezes, uma interpretação comovente e apaixonada de um monte de merda. Bem-intencionada ou não.

Benito Mussolini usou e abusou da frase "*O con noi o contro di noi*" ("Ou você está conosco, ou contra nós"). Nas semanas seguintes ao 11 de Setembro, tanto George W. Bush quanto Hillary Clinton disseram aos cidadãos do mundo que ou eles estavam conosco na luta contra o terrorismo, ou contra nós. Bush foi ainda mais longe, declarando: "Cada nação, em cada região, tem agora uma decisão a tomar. Ou estão conosco, ou estão com os terroristas."[2] Isso está também em nossas histórias. Em *Star Wars: A vingança dos Sith*, Darth Vader diz a Obi-Wan Kenobi: "Se você não está comigo, então é meu inimigo."[3]

Costumamos usar o "comigo ou contra mim" em momentos de significativo estresse emocional. Nossa intenção pode não ser a de manipular, apenas reforçar a ideia de que estamos numa situação em que a neutralidade pode ser perigosa. Eu, aliás, concordo com essa ideia. Uma das minhas citações inspiracionais vem de Elie Wiesel. "Sempre temos que escolher lados. A neutralidade beneficia o opressor, nunca a vítima. O silêncio encoraja o torturador, nunca o torturado."[4] O problema é que o apelo emocional muitas vezes não se baseia em fatos e ataca nossos temores de não pertencer ou sermos vistos como errados ou parte do problema. Precisamos questionar como os lados são definidos. *Essas são mesmo as duas únicas opções? O enfoque está correto para esse debate ou é tudo um monte de merda?*

Na filosofia, "ou você está conosco, ou contra nós" é considerada uma *falsa dicotomia* ou um *falso dilema*. É uma jogada para forçar as pessoas a tomarem partido. Se alternativas existem (e elas quase sempre existem), essa afirmação está factualmente errada. Ela transforma uma abordagem tomada pela emoção em pertencimento a ser usado como arma. E isso sempre beneficia a pessoa que está jogando a pólvora e acenando com aquelas escolhas forçadas e falsas.

A capacidade de pensar para além de situações do tipo "ou isto, ou aquilo" é a base do pensamento crítico, mas, ainda assim, exige coragem. Explorar a curiosidade e questionar só acontecem fora dos nossos bunkers de certeza. Para a maioria de nós, mesmo que a máxima do "conosco ou contra nós" soe um pouco como um simplismo cheio de merda, *ainda* é mais fácil e seguro escolher um dos lados. O argumento é construído de forma a existir apenas uma opção concreta. Se ficarmos quietos, somos automaticamente demonizados como "o outro".

A única opção verdadeira é recusar os termos do argumento, desafiando o enfoque do debate. Mas não se engane: isso é escolher a natureza selvagem. Por quê? Porque o argumento é montado para silenciar a dissidência e definir limites que sufoquem debates, discussões e perguntas — basicamente, os recursos que sabemos levar a uma solução eficaz dos problemas.

Nosso silêncio, no entanto, vem acompanhado de um custo individual e coletivo bem alto. Individualmente, pagamos com a nossa integridade. Coletivamente, pagamos com desagregação e, pior ainda, deixamos de resolver de vez o problema. Respostas que se escoram na força das emoções sem buscar apoio dos fatos raramente fornecem soluções estratégicas e eficazes para questões mais complexas. Em geral, não criamos falsos dilemas por estarmos intencionalmente falando merda; com frequência recorremos a isso quando ocupamos um lugar de medo, emoção aguda e falta de informação. Infelizmente, o medo, a emoção aguda e a falta de informação também fornecem o cenário ideal para o comportamento incivilizado. É por isso que o ciclo de falação de merda e incivilidade pode se tornar infinito.

Civilidade

É mais fácil nos mantermos civilizados quando combatemos a mentira do que quando batemos de frente com as merdas que ouvimos. Quando falamos merda, não pensamos na verdade enquanto ponto de partida compartilhado. Isso torna o raciocínio escorregadio e nos deixa mais inclinados a espelhar a atitude da falação de merda, que é: a verdade não importa, só importa *o que eu acho*. Vale ter em mente o Princípio de Assimetria da Merda, de Alberto Brandolini, ou o que também é conhecido como lei de Brandolini: "A quantidade de energia necessária para refutar merdas é de uma ordem de grandeza maior do que a utilizada para produzi-las."[5]

Às vezes confrontar publicamente é desnecessário, porque surge uma expectativa de amenizar, como um elogio forçado demais ou, no caso da minha família texana, uma história da carochinha sobre andar até a escola ladeira acima... e então de volta, debaixo de neve, puxando um burro. Mas, quando as apostas estão altas e precisamos bater de frente com as merdas que ouvimos, conheço duas práticas que aumentam a sua eficácia.

Em primeiro lugar, inicie a abordagem com generosidade, quando possível. Não presuma que as pessoas tenham algum juízo e só estejam sendo maldosas ou mesquinhas. Em discussões mais acaloradas, podemos sentir vergonha de não termos uma opinião formada, e esses sentimentos de "não ser o bastante" podem nos fazer desandar a falar merda numa conversa. Também podemos crer que estamos partindo de dados concretos para responder e nem imaginar que não temos nada para validar o que dissemos. Além disso, podemos ficar tão reféns da nossa dor e do nosso medo que a verdade e o fato passam a representar um papel secundário diante dos apelos emocionais por compreensão ou concordância. Generosidade, empatia e curiosidade (p. ex., Onde foi que você leu ou ouviu isso?) podem nos levar longe em nossos esforços para questionar o que estamos ouvindo e apresentar fatos.

A segunda prática é a da civilidade. Encontrei uma definição do Institute for Civility in Government que reflete bastante o que os participantes da pesquisa disseram sobre o tema. Os cofundadores do instituto, Cassandra Dahnke e Tomas Spath, escrevem:

> A civilidade acolhe e cuida da identidade, das necessidades e das crenças de uma pessoa sem com isso degradar as de outra (...) [Civilidade] é discordar sem desrespeitar, buscando um denominador comum como ponto de partida para o diálogo sobre as diferenças, ouvindo para além das preconcepções e ensinando os outros a fazer o mesmo. Civilidade é o trabalho árduo de se manter presente mesmo entre aqueles com quem temos divergências profundas e acirradas. Ela é política por ser um pré-requisito necessário para a ação cívica. Mas também é política por negociar o poder interpessoal, de tal forma que a voz de todos seja ouvida e ninguém seja ignorado.[6]

Pensando no que já investigamos sobre as merdas que ouvimos, as falsas dicotomias e a civilidade, vamos dar uma olhada em duas histórias verídicas. A primeira fala de uma experiência em que me vi numa situação de "conosco ou contra nós" sobre uma questão bem controversa, e tive que lutar muito para continuar civilizada no meio das merdas ditas. A segunda é uma história de como virei refém de uma merda que eu mesma disse e acabei empurrando o meu grupo para a ideia do "ou vocês estão comigo, ou contra mim". O que aprendi com essas duas experiências me transformou.

MEIAS COM AQUECIMENTO A PILHA

Eu sabia exatamente o que queria para o meu aniversário de 14 anos. Chega de suéteres da Bobbie Brooks, de pedras de estimação, de pôsteres de Leif Garrett ou de meias com dedos. Eu estava pronta para uns bons presentes de adolescente. Minha lista incluía o meu próprio kit de bobes térmicos da marca Clairol (aquele com uma tampa de plástico que virava uma maleta com alça), *Some Girls* dos Rolling Stones[7] (eu tinha emprestado o meu para uma amiga, e seu irmão mais velho o vendeu para comprar cerveja), uma calça jeans da Gloria Vanderbilt e um par de sapatos da marca Candie's (aqueles de salto alto transadíssimos e fáceis de pôr que todas as garotas descoladas tinham).

Ganhei os bobes térmicos, um jeans da Lee e um substituto do meu álbum dos Rolling Stones. Meus pais sugeriram que eu arranjasse um emprego se quisesse os jeans da Gloria Vanderbilt ou da Jordache, e que eu procurasse novos pais se quisesse usar Candie's antes dos vinte. Antes que eu pudesse voltar para o meu quarto e botar "Beast of Burden" no máximo, meus pais me surpreenderam com outro presente. Dava para ver pela caixa que não era da Candie's, mas o entusiasmo do meu pai era contagiante, então rasguei o embrulho bem ansiosa.

Meias com aquecimento a pilha. Grandes meias de lã cinza com aquecimento a pilha. Eu devia estar chocada, porque meu pai disse: "Acorda, filhota! É para o abrigo de observação! Assim seu pé não fica mais gelado."

Eu me senti péssima. Vi na mesma hora que nunca ia precisar daquelas meias, mas não sabia como dizer isso ao meu pai. Eu não queria mais saber de caça. Em todas as nossas saídas, nunca cheguei a atirar num cervo. Eu simplesmente não conseguia me dispor a isso. Até rolava caçar pombas ou codornas, mas eu nunca ia atirar num cervo. Então, para mim, as nossas viagens de caça se resumiam a dias longos em abrigos de observação congelantes e noites frias em sacos de dormir junto com todos os primos.

Nunca voltei a ir com eles nem usei aquelas meias, mas hoje percebo o espaço que a caça ocupou na minha vida enquanto eu crescia. Mesmo depois que parei de ir, ainda sentia a animação e a expectativa tomando conta lá de casa com o início das várias temporadas. Essas datas eram parte do ritmo da nossa família, como os aniversários e feriados. E sempre tínhamos familiares e amigos visitando e maravilhosos banquetes.

Meu pai levava muito a sério toda essa história de caça. Você só podia atirar no que estava liberado pela sua licença de caçador, e era terminantemente proibido atirar em algo que você não planejasse comer. Essas eram regras inegociáveis lá em casa, escritas em pedra. Ele não ligava para caça esportiva nem nada do tipo.

Em compensação, éramos quase como um restaurante com menu monotemático... bife de veado, linguiça de veado, ensopado de veado, charque de veado, hambúrgueres de veado. Nada melhor do que quando os caçadores voltavam dos arrendamentos de caça e vinte ou trinta cabeças se enfiavam na nossa casa ou na da minha tia para processar a carne, fazer *tamales*, contar histórias e rir. Meu pai é o caçula de seis irmãos, e tenho 24 primos de primeiro grau. Eram muitas bocas para alimentar. Caça e pesca eram atividades tão práticas e necessárias quanto divertidas para a maioria de nós.

Todos tínhamos armas. Ganhávamos pistolas pneumáticas de munição BB no segundo ou terceiro ano do fundamental, e rifles no quinto ano, quando a maioria de nós começou a caçar. Segurança com armas de fogo não era brincadeira. Inclusive, não podíamos disparar uma arma que não soubéssemos desmontar, limpar e montar de volta.

Quando se cresce caçando, você tem um entendimento bem diferente sobre a realidade das armas. Não é um videogame — você sabe (e sentiu) exatamente do que elas são capazes. Para o meu pai e as pessoas com quem caçávamos, a reação diante das armas automáticas e das grandes armas que as pessoas hoje em dia tratam como brinquedos era simples: "Quer atirar com esse tipo de arma? Ótimo! É só se alistar nas forças armadas."

Agora que sou mãe, olho para trás e vejo que igualmente poderosa era a combinação entre as nossas regras familiares sobre caça e armas e o fato de que não nos deixavam assistir a nenhum tipo de violência na TV. Só fui ver um filme com classificação PG (com a orientação dos pais) aos 15 anos de idade. A ideia de romantizar a violência estava descartada. Não tínhamos videogames violentos naquela época, mas até imagino o que o meu pai teria achado deles.

Eu amava e me orgulhava dessa parte da história da minha família. E, como a maioria das crianças, supus que todos os que foram criados numa cultura de caça e armas haviam crescido sob as mesmas regras. Mas, quando fiquei um pouco mais velha, percebi que isso não era verdade. Conforme as leis sobre a posse de armas passaram a girar cada vez mais em torno de interesses políticos e polarizações, fiquei mais cética diante do lobby das armas. Observei a NRA (Associação Nacional de Rifles) deixar de ser uma organização ligada a programas de segurança, insígnias de mérito e torneios de tiro ao prato para caridade e virar algo que eu não reconhecia. *Por que estavam se posicionando como se representassem famílias como as nossas se não colocavam limites ou parâmetros para a posse responsável de armas?*

Apesar das minhas crenças, minha família começou a apoiar o lobby das armas, enquanto muitos dos meus amigos e colegas começaram a desprezar toda e qualquer posse de armas. Logo percebi que não tinha lar ideológico ou comunidade sobre esse assunto. Não contava com uma linguagem da "natureza selvagem" para descrever quão solitária eu me sentia com isso. Mas definitivamente foi (e é) selvagem.

No final do ano passado, eu conversava com um grupo de pessoas num evento e mencionei que meu pai e eu estávamos ansiosos para ensinar meu filho a atirar em pratos. Uma mulher ficou horrorizada e falou: "Muito me espanta que você seja uma amante das armas. Você não parecia fazer o tipo da NRA." Se você leu o comentário dela como agressivo e ácido, então transcrevi com precisão. Havia desprezo e desgosto no rosto dela.

Eu respondi: "Não tenho certeza do que você quis dizer com *amante das armas* ou *o tipo da NRA*." Ela se endireitou na cadeira e rebateu: "Se está ensinando o seu filho a atirar, imagino que você apoie a posse de armas e a NRA."

Ali estava. A falsa dicotomia.

Se eu apoio a posse de armas, estou apoiando a Associação Nacional de Rifles. Mas de jeito nenhum. Não caio nessa.

De todas as organizações lobistas que analisei nos últimos vinte anos, nenhuma usou melhor o medo e as falsas dicotomias do que a NRA. Sua retórica atual lança mão do abominável *eles* e bate o tempo todo na tecla do "nós contra eles". *Que qualquer um possa comprar qualquer tipo de arma e munição, quando e onde quiser, senão eles vão arrombar sua porta, pegar suas armas, destruir sua liberdade, matar aqueles que ama e acabar com o modelo americano. Eles estão atrás de nós. Eles estão vindo.* Esse é o maior monte de merda que já ouvi desde que me disseram: "Se você tem uma arma — qualquer arma —, pode muito bem ser o próximo a apertar o gatilho num daqueles horríveis tiroteios em massa." Não e não.

Respirei bem fundo para não perder a cabeça, sorri e respondi: "Você acertou uma das suas duas suposições. Eu realmente apoio a posse responsável de armas. Não apoio *de jeito nenhum* a NRA só por apoiar a posse responsável de armas."

Ela parecia zangada e confusa. "Mas com tantos tiroteios nas escolas — não entendo por que você não apoia o controle de armas."

Por favor, querida.

"Eu apoio cem por cento as leis de armas de fogo defendidas pelo senso comum. Acredito na checagem de antecedentes e num período de espera após a compra. Não acho que devesse ser legalizada a venda de armas automáticas, de carregadores alongados ou de balas perfurantes. Não acredito no porte em universidades. Eu..."

Nessa hora ela estava bem raivosa. E estourou: "Ou você apoia as armas, ou não apoia."

Como eu já vinha trabalhando neste livro, falei o que senti a minha vida toda, mas tinha medo de dizer ou não sabia como. Juntei a maior empatia possível e disse: "Sei que esse é um tema difícil e perturbador, mas acho que você não está me escutando. Eu não vou participar de um debate em que esse problema acabe reduzido a *Ou você apoia as armas, ou não apoia*. Ele é importante demais. Se quiser conversar um pouco mais sobre isso, eu ficaria bem feliz. E não vou me chocar se descobrirmos que sentimos raiva e medo pelos mesmos motivos."

A mulher pediu licença e saiu desabalada dali. Ela provavelmente me odeia. O grupinho de pessoas de pé ali conosco pode me odiar. *Você* pode me odiar. Quem vai saber? Nem sempre é como o final feliz de algum filme, mas eu aceito, desde que seja verdadeiro.

E por que esse final funciona para mim? Eu sabia exatamente o que podia ter dito naquela hora para parecer a queridinha do grupo. Podia ter traído as minhas verdadeiras crenças e num piscar de olhos virar a heroína da história. Podia ter simplesmente evitado o confronto. Você não precisava ser um Sherlock Holmes para saber que todos naquele grupo eram contrários a armas e também a, no mínimo, conversas desconfortáveis sobre o assunto. Eu também podia ter escolhido ficar calada. Ou podia ter perdido a cabeça. Em vez disso, eu pertenci a mim mesma. Fiz o melhor que pude para rechaçar o argumento "ou isto, ou aquilo", escolhi me firmar em campo aberto — longe da segurança do bunker ideológico daquele espaço. E agi com decência. Fui respeitosa com ela e comigo mesma.

Eu me senti sozinha na natureza selvagem, mas tudo bem. Podem não ter gostado de mim, e isso não foi tão legal, mas eu resisti na minha integridade. E talvez o grupo tenha se sentido traído pela minha resposta ou pela minha vontade de entrar num assunto difícil, mas ainda assim (e isto é o mais importante) eu não me traí. Saber que é possível avançar sozinho pela natureza selvagem — que é possível permanecer fiel às próprias crenças, confiar em si mesmo e sobreviver —, isso é o verdadeiro pertencimento.

CHEFE DE GABINETE

A maioria das pessoas fica surpresa ao saber que, além da minha pesquisa, eu cuido de quatro empresas e trabalho com uma equipe de cerca de 25 pessoas. Tem a Brave Leaders Inc., o The Daring Way, a The Marble Jar Store e a nossa organização guarda-chuva, a Brené Brown Education and Research Group. Tem uma equipe que gerencia as minhas palestras, outra que conduz o The Daring Way (nosso programa de treinamento para os trabalhadores), uma que coordena todo o nosso trabalho voluntário e *pro bono* e outra que administra nossa loja, líderes que supervisionam nosso programa de estágio em serviço social, uma equipe de experiência do consumidor, pesquisadores, uma equipe que desenvolve e produz conteúdo digital e um grupo principal que lida com o nosso trabalho de missão e de operações.

Nossa missão é "tornar o mundo um lugar mais corajoso ao fazer o trabalho que amamos com pessoas com as quais nos importamos, de uma forma alinhada aos nossos valores". Sempre que entro nos nossos escritórios me pergunto como tive a sorte de contar com uma equipe que acredita de maneira tão profunda no nosso trabalho e também um no outro. Passo a maior parte do tempo com o pessoal da "diretoria", que consiste em Charles (nosso diretor financeiro), Murdoch (meu gerente) e Suzanne (nossa presidenta e diretora de operações).

Pouco mais de um ano atrás, eu estava tão imersa nas pressões da escrita, viajando para palestras e aulas, tentando dirigir as operações cotidianas desses empreendimentos e ainda pesquisando, que o pessoal da diretoria convocou uma reunião extraordinária de emergência em Galveston para ver se chegávamos a uma solução para o que claramente se mostrava uma situação insustentável. As coisas estavam desmoronando tão rápido que Steve saiu mais cedo do trabalho e se juntou a nós pelo resto do dia. Ele queria ter certeza de que algo ia mudar, e sabia que delegar e desapegar eram grandes dificuldades minhas. Eu me sentia como se cinco minutos antes eu fosse uma pessoa com um livro e um blog, e de repente eu tivesse me tornado diretora executiva e presidenta. Foi muita coisa, rápido demais, e eu estava perdida.

Éramos doze, incluindo os quatro membros do pessoal da diretoria, ali em Galveston. Tínhamos três itens norteadores na nossa reunião:

1. Fazer uma lista ampla de tudo o que eu estava fazendo para entendermos melhor o que eu podia passar para os outros,
2. Bolar uma estratégia para impedir que eu me afogasse, e
3. Passar a limpo todas as ideias, planos e estratégias que eu tinha na cabeça para avaliarmos o que era importante e o que não era.

Cerca de duas horas depois, alguém sugeriu que uma solução para todos esses problemas podia ser trazer alguém para servir num cargo como o de "chefe de gabinete". É claro que, quando ouço "chefe de gabinete", tudo em que consigo pensar é Leo McGarry, chefe de gabinete do presidente Bartlet em *The West Wing: Nos bastidores do poder.*[8] No começo eu ri, mas em poucos minutos todo mundo ficou animado com a ideia e eu comecei a me sentir esperançosa. Meia hora de discussão depois, um dos membros da equipe se ofereceu para assumir essa posição, e senti mais alívio e animação do que num ano inteiro. Fiquei até um pouquinho emocionada. Eu estava me inclinando bastante para essa ideia, e quando faço isso as pessoas em volta logo percebem.

Sou uma pessoa apaixonada e intensa. E, apesar de amar boas piadas e chorar de tanto rir, a maioria dos que me conhecem bem me descreve como uma pessoa bastante séria. Fiquei magoada da primeira vez que ouvi alguém me descrever assim. Sempre me vi como espirituosa e brincalhona, feito a Meg Ryan em *Surpresas do coração.*[9] Quando enfim chequei com Steve a realidade da minha dismorfia de personalidade, ele confirmou: "Gentil e engraçada? Sim. Espirituosa e brincalhona? Não. Séria? Quase sempre."

Minha equipe dividiu comigo o feedback de que, às vezes, quando me empolgo demais com uma ideia, é como entrar num "túnel de vento da Brené". Eles dizem que é difícil se manter de pé, e mais ainda se pronunciar. Essa função de chefe de gabinete me soava como um colete salva-vidas, e ali virei a sua maior defensora. *Lá vem o túnel de vento.* Olhei para o grupo e disse: "Isso vai mudar tudo. Por mim, começamos agora mesmo. Para que esperar?"

Notei um resquício de preocupação nos rostos da diretoria, mas estava me sentindo temporariamente livre do desespero, e foi um sentimento tão bem-vindo que não liguei muito para a pouca reserva que vi. Respirei fundo e disse: "Ou tentamos isso a partir de agora, ou fingimos que tudo será diferente amanhã, mesmo sabendo que não vai acontecer."

A sala ficou em silêncio por uns instantes. Virei uma nova página no meu diário e escrevi "Chefe de gabinete" no alto, criando uma lista numérica na lateral. Ali eu ia informar todas as responsabilidades que seriam repassadas para essa nova pessoa, para eu ter pelo menos um pouco da minha vida de volta. Quando olhei para cima por um breve segundo, Suzanne estava com a mão erguida.

Eu sorri porque me parecia engraçado que ela tivesse levantado a mão em vez de falar. Olhei para ela e disse: "Sim, Suzanne?"

Seu rosto estava vermelho, mas seus olhos e voz eram firmes. "Quero lembrar a todos nesta sala, principalmente o pessoal da diretoria, de que tomamos a decisão de nunca contratar alguém ou reatribuir funções em reuniões de grupo. Nós nos comprometemos a agir com mais calma e a discutir os detalhes num grupo menor antes de tomar qualquer decisão dessas."

Aquela sensação de esperança e possibilidade desapareceu na hora. Steve me diria mais tarde que nunca tinha visto na vida alguém murchar tão visivelmente. Eu só encarava Suzanne. Minha decepção foi logo se transformando em raiva. Antes que eu dissesse uma única palavra, Suzanne acrescentou: "Não acho que as opções se resumam a tomar essa decisão agora ou fingir que tudo será diferente amanhã, quando sabemos que não vai acontecer. Vamos trabalhar nisso até resolvermos. Mas acredito no comprometimento da nossa equipe para não tomarmos decisões em circunstâncias assim."

Pedimos um intervalo, e eu fui para o banheiro e chorei. Estava tão cansada. Desesperada por ajuda e apoio. E, depois de uma minicrise de cinco minutos, também profundamente grata a Suzanne. Ela tinha razão. Eu odiava ter que abrir mão da pílula mágica, mesmo cheirando a merda como eu sabia que estava. Tempos desesperados exigem medidas desesperadas, e medidas desesperadas costumam ser fertilizadas com merda.

Quando saí do banheiro, Suzanne estava à minha espera. Agradeci por ter sido tão corajosa, e ela reforçou que sabia que a situação atual era ruim para mim, ruim para o nosso trabalho, ruim para todos, e que isso precisava mudar. Prometeu que juntos encontraríamos um novo processo de trabalho.

Suzanne até hoje descreve aquele momento como um dos mais difíceis do tempo que trabalhamos juntas. Para ela, questionar a minha decisão foi pura natureza selvagem. Ela se sentiu sozinha, vulnerável e assustada. E, de fato, ela se viu completamente sozinha ao erguer a mão naquela reunião. Da minha perspectiva, foi o dia em que percebi que podia confiar nela para tudo. Promovi Suzanne à presidência do Brené Brown Education and Research Group. Hoje ela dirige as operações cotidianas desses empreendimentos. E ela arrasa.

Foi com essa experiência também que a nossa equipe começou a entender a importância de criarmos uma cultura em prol do verdadeiro pertencimento. Se os líderes realmente querem que as pessoas mostrem a cara, opinem, assumam riscos e inovem, precisamos criar culturas em que elas se sintam seguras — onde sua fala não ameace o seu pertencimento e elas recebam apoio ao decidir desbravar a natureza selvagem, se firmar sozinhas e bater de frente com as merdas que escutam.

É fácil subestimar a importância da civilidade no trabalho, mas pesquisas recentes mostram a que ponto a incivilidade pode incapacitar equipes e organizações. Christine Porath, professora associada de administração da Universidade Georgetown, escreve o seguinte: "A incivilidade pode fraturar uma equipe, destruindo a colaboração, estilhaçando a segurança psicológica de seus membros e comprometendo sua eficiência. Comentários depreciativos e humilhantes, insultos e outras atitudes rudes podem abater convicções, destruir a confiança no outro e erodir a prestatividade — mesmo naqueles que nem sequer são o alvo de tais atitudes."[10] Ela cita sua própria pesquisa e outros estudos que demonstram como implementar e reforçar padrões de civilidade proporciona equipes mais funcionais e de alto desempenho.

Tive a oportunidade de entrevistar o treinador de futebol americano Pete Carroll, do Seattle Seahawks, para esta pesquisa. Quando perguntei quais os desafios de conceber uma cultura organizacional de verdadeiro pertencimento, ele ofereceu o que acredito ser um insight profundo sobre coragem para liderar:

> Sem dúvida é mais fácil gerenciar uma cultura de "ter que se encaixar". Você define os padrões e as regras. Lidera na base do "aceite ou cale-se". Mas com isso perdemos boas oportunidades — sobretudo de ajudar os membros do seu time a descobrir um propósito. Ao forçar uma "cultura do encaixe", a gente perde a chance de ajudar os outros a descobrir seu anseio próprio — o que está vindo de seus corações. Liderar pelo verdadeiro pertencimento é criar uma cultura que celebre a singularidade. O que melhor serve a um líder é compreender os principais esforços dos seus jogadores. Meu trabalho como líder é identificar seu talento ou sua contribuição singular. Um líder forte faz os jogadores acreditarem profundamente em si mesmos.[11]

PALAVRAS COMO ARMAS

Às vezes a civilidade surge na forma de respeito e generosidade. Recentemente dei uma aula virtual com a Dra. Harriet Lerner sobre como oferecer um pedido de desculpas verdadeiro e sincero e também como aceitá-lo. A aula acabou comigo. Por mim, transmitiríamos esses ensinamentos pelas ondas de alguma emissora de TV alternativa, para que o país inteiro pudesse aprender essas habilidades — precisamos muito delas!

Quando Harriet me convidou para esse exercício de ouvir e pedir desculpas sem ressalvas ou exceções, aprendi que, num conflito, prefiro estar certa a estar conectada e dedicada ao meu relacionamento. Eu quero vencer. Eu amo estar certa.

Essa necessidade de estar certo é amplificada quando nos sentimos hostilizados e atacados. Um exemplo cultural disso é a ideia do "politicamente correto". A história desse conceito é tão louca e desregrada quanto as atuais conversas sobre o assunto. A esta altura, a expressão está com uma carga tão pesada que para mim faz mais sentido falar em *linguagem inclusiva*.

Pelo que já aprendemos sobre desumanização, acredito que a linguagem inclusiva seja de extrema importância, além de absolutamente gratificante e funcional para a civilidade. Costumamos nos posicionar diante dos grandes debates políticos quando envolvem temas como nomes de agremiações locais e acabamos ignorando instâncias cotidianas igualmente depreciativas. Por exemplo: digamos que você tenha sido diagnosticado com ansiedade, e seu filho tenha transtorno de déficit de atenção. Como você se sentiria se por acaso ouvisse seu médico dizendo: "Isso. Meu transtorno de ansiedade chega às 14h, depois atendo o garoto TDA e vou para casa." Os defensores da linguagem inclusiva dirão que você não é o seu diagnóstico; você é uma pessoa com ansiedade. Isso interessa a todos nós. Ninguém quer se sentir reduzido.

O problema no movimento da linguagem inclusiva é quando usam a linguagem certa como uma arma para constranger ou depreciar os outros. Isso apareceu repetidas vezes na pesquisa. Até mesmo ferramentas de civilidade podem se tornar armas se a intenção for essa. Vou compartilhar algumas histórias aqui.

A primeira delas é sobre um jovem de vinte e tantos anos que me contou que dirigiu de sua casa em Los Angeles até Newport Beach para visitar os pais. Durante essa viagem matinal ele decidiu ser mais paciente e tolerante com o pai. Os dois tinham um antigo histórico de não se darem muito bem.

Na tarde em que o jovem chegou, ele estava na cozinha batendo papo quando perguntou ao pai: "Como vão os novos vizinhos?"

Seu pai respondeu: "A gente gosta bastante deles. Já vieram jantar aqui umas duas vezes e ficamos amigos. Na semana que vem, eles vão cozinhar. São orientais, e ela vai fazer seus bolinhos especiais; a sua mãe está bem animada."

O jovem me disse que criticou o pai na mesma hora. "Orientais? Meu Deus, pai! Está brincando? Racista, hein?"

Antes que o pai pudesse responder, o filho continuou: "*Oriental* é racista demais! Você pelo menos sabe de onde eles são? Não existe um país chamado *Oriente*. Que vergonha!"

Ele me disse que, em vez de comprar a briga, seu pai ficou na cozinha de cabeça baixa. Quando enfim encarou o filho, ele estava com lágrimas nos olhos. "Desculpe, meu filho. Não sei bem o que fiz ou deixei de fazer para você ficar com tanta raiva. Eu não acerto uma com você. Nada que faço ou digo é bom o bastante."

Completo silêncio.

Então seu pai disse: "Eu até ficaria para você mostrar como sou babaca, mas estou levando a vizinha que eu supostamente odeio para buscar o marido da cirurgia de catarata. Ela não sabe dirigir, e hoje cedo ele pegou um táxi."

Na entrevista, o jovem me disse que não soube mais o que fazer ou dizer, então foi embora antes que o pai saísse da cozinha.

A segunda história aconteceu comigo. Eu estava dando um curso de meio dia de duração sobre resiliência à vergonha (ah, que ironia) e tinha cerca de duzentas pessoas na plateia. Na metade do horário, fizemos um rápido intervalo. Eu estava repassando minhas anotações quando uma mulher se aproximou e disse: "Não sei explicar o quanto você me magoou hoje cedo."

Fiquei chocada. O tempo começou a desacelerar, e fui entrando em visão de túnel — minha reação típica a vergonha. Antes que eu sequer abrisse a boca, ela continuou: "O seu trabalho mudou a minha vida. Salvou meu casamento e formou os meus filhos. Eu vim aqui hoje por você ser uma professora importante na minha vida. Mas aí, quinze minutos depois de começar, descubro que você é antissemita. Eu confiei em você, e você se mostrou uma fraude."

Tempestade de merda da vergonha em tamanho família. Pesadelo se concretizando.

Tudo o que consegui responder foi: "Não estou entendendo."

Ela insistiu: "Você falou na sua história que se sentiu *muito 'gypped', enganada, ciganeada* ."

A ficha ainda não tinha caído. Mais uma vez respondi: "Não estou entendendo."

Ela passou a falar mais alto: "Gypped. *Gypped. Gypped!* Você não sabe? Como acha que se soletra essa palavra?"

Era uma pergunta estranha, mas eu estava tão enfiada no buraco da vergonha que nem consegui dizer algo útil como: "Entendi que você está bem chateada, vamos conversar sobre isso." Parei por um momento para repetir a palavra na minha cabeça e descobrir que outra remotamente parecida eu poderia usar de referência. A única que me veio à mente foi a manteiga de amendoim Jif (claro). "Hum... J-I-P-P-E-D."

Ela gritou: "Não! Nada no mundo se escreve assim. O certo é G-Y-P-P-E-D. Como em '*gypsy*, cigano'. É um termo antissemita que degrada os ciganos."

Eu não fazia ideia. Minha mente estava descontrolada. Será que eu estava num daqueles cenários de pesadelo em que a verdade vinha à tona e eu não tinha como impedir? Eu odiava mesmo os ciganos? Será que estava disfarçada de assistente social politicamente correta, mas no fundo nutria sentimentos de ódio por ciganos?

Não. Eu só não sabia mesmo. Não fazia a mínima ideia.

Imagino que o olhar no meu rosto tenha dito àquela mulher que eu não estava mentindo, porque então ela disse: "Ah, meu Deus. Você não sabia. Você não falou aquilo de propósito, falou?"

Nessa hora eu já estava chorando.

"Sinto muitíssimo. Eu não sabia. Me desculpe", expliquei.

Ela me abraçou e conversamos sobre aquilo por mais alguns minutos. Quando todos voltaram, expliquei o que havia aprendido e me desculpei por ter usado aquela palavra. Mas, sinceramente, aquela foi uma tarde perdida.

Para o jovem que visitava o pai, teria sido fácil dizer: "Então, pai, as pessoas não estão mais usando o termo 'oriental'. A linguagem vem mudando depressa — achei que você devia saber." Se ele quisesse ser empático de verdade, podia acrescentar algo como: "Todo dia eu aprendo um pouco também."

Se o meu trabalho significava tanto assim para aquela mulher na conferência, ela podia ter me abordado a partir de uma suposição mais generosa. Podia ter dito: "Não sei se você sabe, mas '*gypped*' é um termo pejorativo, baseado num estereótipo ofensivo dos ciganos." Eu ficaria agradecida, e não envergonhada.

Não sei de você, mas, se eu estiver dizendo algo que magoe alguém, eu quero que me contem. Quero ser gentil e atenciosa com as minhas palavras, porque sei muito bem o quanto elas importam. Vai ser desconfortável? Sim. É frustrante ter que explicar aos outros por que suas palavras lhe causam dor? Sim. Falar sobre essas questões exige fazer uma incursão pela natureza selvagem? Sim. Mas exige também que continuemos vulneráveis, o que é difícil de fazer quando transformamos palavras em armas.

BRAVING

Bater de frente com as merdas que ouvimos e praticar a civilidade são atitudes que começam com o conhecimento de nós mesmos e dos comportamentos e questões que tanto nos empurram para as nossas próprias merdas como nos impedem de agir com civilidade. Se voltarmos ao BRAVING e ao nosso checklist da confiança, estas situações exigem um olhar atento:

1. Limites. O que é aceitável numa discussão e o que não é? Como se define um limite se você já estiver atolado na merda?
2. Confiabilidade. Falar merda é o desistir da confiabilidade. É difícil confiar ou inspirar confiança quando se fala merda com muita frequência.

3. Responsabilização. Como nós e os outros podemos nos empenhar menos em falar merda e mais em debates francos? Menos em descarga emocional e mais em civilidade?
4. Sigilo. A civilidade honra a confidencialidade. Falar merda é ignorar a verdade e se abrir para violações de confidencialidade.
5. Integridade. Como manter a integridade ao bater de frente com as merdas que ouvimos, e como fazer para conter a nossa descarga emocional e dizer "Então, não sei se essa é uma conversa produtiva" ou "Preciso estudar mais esse assunto"?
6. Não julgamento. Como ficar de fora do julgamento que fazemos de nós mesmos quando o certo a dizer é: "Na verdade, não sei muito sobre o tema. Diga o que você sabe e qual a importância disso para você." Como não entrar no modo "ganhador/perdedor" e enxergar uma chance de conexão quando alguém afirma: "Não sei nada sobre esse assunto"?
7. Generosidade. Qual a suposição mais generosa que podemos fazer sobre as pessoas à nossa volta? Que limites devem entrar em vigor para sermos mais gentis e tolerantes?

Sei que a prática de bater de frente com as merdas que ouvimos mantendo a civilidade pode parecer um paradoxo, mas ambos são componentes profundamente importantes do verdadeiro pertencimento. Carl Jung escreveu: "Só o paradoxo chega perto de abarcar a plenitude da vida."[12] Somos seres complexos que acordam todo dia e lutam para não serem rotulados e diminuídos por estereótipos e caracterizações que não refletem a nossa plenitude. No entanto, quando não corremos o risco de nos firmarmos sozinhos e nos pronunciarmos, quando as opções diante de nós nos forçam às mesmas categorias às quais resistimos, acabamos perpetuando a nossa própria desconexão e solidão. Quando nos arriscamos a fazer uma incursão pela natureza selvagem (e inclusive a nos tornarmos nossa própria natureza selvagem), sentimos a conexão mais profunda possível com o nosso verdadeiro eu e com aquilo que realmente importa.

seis DÊ A MÃO. A COMPLETOS ESTRANHOS.

Estamos numa crise espiritual, e o caminho para cultivar a prática do verdadeiro pertencimento é manter a nossa crença na inextricável conexão humana. Essa conexão — o espírito que flui entre nós e cada ser humano no planeta — não é algo que possa ser rompido; a nossa *crença na conexão*, essa sim, é constantemente testada e atacada. Quando a crença em algo superior a nós (algo fundamentado no amor e na compaixão) acaba, ficamos mais inclinados a nos retirar para os nossos bunkers, a odiar de longe, a tolerar merdas, a desumanizar os outros e, ironicamente, a manter distância da natureza selvagem.

Pode não parecer muito lógico, mas nossa crença na inextricável conexão humana é uma das fontes mais renováveis de coragem na hora de desbravar a natureza selvagem. Só consigo defender o que acredito ser o certo quando sei que, apesar da oposição e das críticas, estou tão conectada comigo mesma e aos outros que nada pode me afetar. Quando não acreditamos numa conexão inabalável, o isolamento da natureza selvagem assusta tanto que acabamos resignados às nossas facções e câmaras de eco.

Por mais difíceis que as coisas estejam no mundo atual, não é só a nossa cultura polarizadora que enfraquece a nossa crença na inextricável conexão humana e distorce o nosso compromisso espiritual conjunto. É também a lida com as demandas das nossas vidas cotidianas. As pessoas são maravilhosas. *E* elas podem ser difíceis. Minha tirinha favorita do *Peanuts* é uma com o Linus gritando: "Eu amo a humanidade... são as *pessoas* que eu não aguento!"[1] A vida cotidiana pode se mostrar incrivelmente dura, e aqueles à nossa volta podem nos levar ao limite dos nossos nervos e da nossa civilidade.

Cobrir tudo com couro

Eu amo um ensinamento de Pema Chödrön sobre esse assunto, chamado "Pés Descalços".[2] Nele, Chödrön usa as lições do monge budista indiano Shantideva para fazer uma poderosa analogia sobre os que andam pelo mundo constantemente irritados e frustrados. Vem de um vídeo, então transcrevi e editei sua palestra para que pudéssemos ler aqui. Segure firme. É uma mensagem ao mesmo tempo familiar e incomodamente real.

Chödrön começa assim:

> Este mundo nojento, essa gente nojenta, esse governo nojento, isso tudo nojento... tempo nojento... blá-blá-blá. Estamos de saco cheio. Está quente demais aqui. Agora frio demais. Não gosto desse cheiro. A pessoa da frente é alta demais, a do meu lado é gorda demais. Essa outra está usando perfume e sou alérgico... e só... *arg!*
>
> É como estar descalço e caminhar na areia quente ou sobre cacos de vidro, ou num campo de espinhos. Seus pés estão expostos, e você diz: "Isso é simplesmente difícil demais. Machuca, é horrível, corta muito, e dói... faz calor demais." Mas você tem uma ótima ideia! Vai cobrir todo lugar aonde for com couro. Daí não vai mais ferir os pés.
>
> Estender couro por onde for para encobrir a dor é como dizer: "Vou me livrar dela e dele também. Vou colocar na temperatura certa, e banir o perfume do mundo, daí então não vou ter nenhum incômodo, não importa onde esteja. Vou me livrar de tudo (incluindo mosquitos) o que me incomodar, no mundo todo, daí vou ficar muito feliz e contente."
>
> [Ela faz uma pausa.]
>
> Estamos rindo disso, mas é o que todos fazemos. É assim que lidamos com as coisas. Nós pensamos: se pelo menos pudéssemos nos livrar de tudo

ou cobrir com couro, a nossa dor ia sumir. Sim, claro, porque assim ela não ia mais cortar nossos pés. Parece bem lógico, não é? A verdade é que isso não faz sentido algum. Shantideva disse: "Que tal simplesmente enrolar o couro em volta dos pés?" Em outras palavras, calçando sapatos você passaria pela areia escaldante, os cacos de vidro e os espinhos sem se abalar com nada. A analogia, então, é a seguinte: é trabalhando sua mente e não tentando mudar tudo do lado de fora que você esfria o seu temperamento.

Então, se amamos a ideia de humanidade, mas as pessoas em geral vivem nos tirando do sério e não podemos cobrir tudo o que nos desagrada com couro, como fazemos para cultivar e amadurecer em nós a crença na inextricável conexão humana? A resposta que encontrei na pesquisa me chocou. *Participem dos momentos de alegria e dor coletivos, para evidenciarmos de fato a inextricável conexão humana.* Mulheres e homens com as melhores práticas de verdadeiro pertencimento preservam a sua crença em conexões inextricáveis dividindo momentos de alegria e dor com estranhos. Em outras palavras, precisamos capturar um pouco dessa luz numa garrafa. Precisamos captar evidências suficientes de pessoas se conectando e se divertindo juntas, para acreditarmos que é verdade e possível para todos nós.

Embora captar essas evidências de conexão humana fosse um conceito de pesquisa inédito para mim, eu me diverti mais investigando o seu significado e a sua ocorrência do que com quase qualquer outro trabalho já feito em minha carreira. E, no que fui entendendo como essa prática se dá na vida real, descobri inclusive que sou muito boa nisso. Antes desse trabalho, eu não sabia por que valorizava tanto esses momentos coletivos; por que faço questão de frequentar uma igreja onde posso partir o pão, dar a paz e cantar com pessoas que têm crenças diferentes das minhas — pessoas que às vezes me dão vontade até de puxar a orelha; por que chorei da primeira vez que levei meus filhos ao show do U2 e por que ambos seguraram a minha mão nas minhas músicas preferidas; por que o hino da Universidade do Texas sempre me faz vibrar e erguer a mão chifrada; ou por que ensinei aos meus filhos que ir aos funerais é extremamente importante, e, uma vez lá, você se envolve. Você participa. De cada música.

De cada oração — mesmo que seja numa língua que você não entende, ou de uma fé que você não pratica.

Eu sempre soube da importância desses momentos para mim. Sabia que tinham ligação com o meu bem-estar espiritual e que conservavam a minha paixão pela humanidade enquanto eu pesquisava temas por vezes devastadores e difíceis. Eu só não sabia o porquê. Hoje sei. Vamos analisar como se dão as experiências de alegria e dor coletivas.

VOCÊ NUNCA ANDARÁ SOZINHO

Uns dois anos atrás, cliquei num tweet de Chris Anderson (dono e curador do TED) que dizia assim:

> Quando futebol = religião. Versão australiana arrepiante de You'll Never Walk Alone.[3]

O link me levou para um vídeo do YouTube com 95 mil torcedores australianos do Liverpool Football Club, reunidos no Melbourne Cricket Ground para uma partida de futebol. Por dois minutos, vi um estádio de torcedores do Liverpool se agitar em uníssono enquanto cantavam o famoso hino do time, cachecóis vermelhos suspensos no ar e lágrimas escorrendo em muitos daqueles rostos.[4]

Fiquei surpresa ao me ver à beira das lágrimas. E, pelos seis milhões de visualizações do vídeo, sem dúvida não foram só os fãs do Liverpool, ou só os fãs de futebol, que acabaram emocionados e com calafrios. Inclusive o primeiro comentário no YouTube era de um usuário com o apelido "Manchester United Fan Prez" — o Manchester é um dos maiores rivais do Liverpool. O comentário dizia apenas: RESPEITO.

Não importa para qual time estejamos torcendo, o poder da alegria coletiva é capaz de transcender essa divisão.

No dia seguinte, Steve e eu nos comprometemos a separar mais tempo para jogos de futebol (americano, da variedade texana), música ao vivo e peças de teatro. Na era do YouTube, eu já vinha esquecendo como era viver esses momentos. E estar presente neles é algo muito mais poderoso.

LIGANDO PARA BATON ROUGE

Se você tem dez anos a mais ou a menos que eu e cresceu no Texas que eu conheço, dois nomes vão botar um sorriso no seu rosto e abrir um baú de lembranças: George Strait e Garth Brooks. Quando minhas irmãs, Ashley e Barrett, e eu relembramos a juventude — nossos ex-namorados, os melhores e os piores momentos, jeans tão apertados que só fechavam com alicate e cabelos penteados para o céu —, Garth Brooks e George Strait dão a trilha sonora. Toda história tem uma música, e toda música tem uma história.

No ano passado, Steve, Ashley, Barrett, Frankie (o marido de Barrett) e eu encontramos os nossos queridos amigos Rondal e Miles em San Antonio para um show de Garth Brooks e Trisha Yearwood. Foi ainda mais divertido porque Rondal trabalhou com Garth por anos, então ainda calhamos de conhecer Garth e Trisha antes de subirem no palco, ambos tão carinhosos e humildes quanto se pode imaginar. O show foi incrível — sabíamos as letras de todas as músicas, e qualquer um que já tenha visto Garth se apresentando vai confirmar que ele é um tremendo *showman*. O melhor momento para nós foi quando ele cantou a nossa favorita, "Callin' Baton Rouge".[5] Não sabíamos disso na época, mas Rondal nos filmou o tempo todo. Eu ainda choro quando assisto.

Três ou quatro meses depois, eu estava no carro com as minhas irmãs e as minhas sobrinhas quando me virei para Barrett e disse: "Vamos ouvir 'Baton Rouge'!"

Gabi, a sua filha de seis anos de idade, retrucou: "Não! Eu quero ouvir a 'Número 1'! Quero ouvir a que cantamos todo dia."

Barrett riu: "'Baton Rouge' *é* a 'Número 1'."

Minhas irmãs e eu confessamos que, desde o show, vínhamos ouvindo essa música sem parar. As três já tinham o CD dessa música antes mesmo do show, mas só depois daquele momento de alegria e conexão é que passamos a ouvi-la três vezes por dia, todos os dias. Então, o que estava acontecendo? Essa música nos devolvia a um momento. Assistindo à gravação de Rondal, é um momento que só pode ser descrito como amor puro: amor pela música, pela nossa história juntas e de uma pela outra. Nós três aparecemos abraçadas e de mãos dadas, berrando aqueles versos o mais alto possível:

Operator, won't you put me on through
*I gotta send my love down to Baton Rouge.**

VARINHAS PARA O ALTO

Não é segredo para ninguém que eu sou fã de Harry Potter. Minha filha Ellen cresceu com os livros e sempre estivemos entre as primeiras da fila de lançamento nas livrarias e nos cinemas. Em 2009, assistimos à noite de estreia de *Harry Potter e o Enigma do Príncipe*.[6] Havia muitos cachecóis da Grifinória, cicatrizes de raio na testa feitos com lápis delineador e camisetas com a mensagem "Keep calm and carry a wand"** à mostra.

Para a nossa tristeza, quase no fim do filme o nosso guia sábio e líder fiel Dumbledore acaba morto. Numa das cenas, Harry está debruçado sobre o seu corpo, chorando. Dumbledore era o diretor da Escola de Hogwarts e uma figura paterna, além de mentor e defensor de Harry. Mesmo que nunca tenha lido os livros ou visto os filmes, você conhece a cena: um(a) jovem protagonista perdendo a sua figura paterna/materna e guia. É um elemento essencial no arco de muitas grandes histórias e uma parte essencial do que Joseph Campbell chamou de Jornada do Herói.[7]

Enquanto uma multidão de alunos e professores cerca o corpo de Dumbledore, um rosto maligno se forma no céu escuro. É o rosto de Voldemort, o principal responsável pela morte do diretor de Hogwarts. Enquanto Harry, ainda em prantos, põe a mão no peito de Dumbledore, a amiga mais querida e colega de trabalho do diretor, a professora McGonagall (interpretada brilhantemente por *dame* Maggie Smith), ergue a sua varinha na direção do céu. Da ponta da varinha sai uma única rajada luminosa. Um a um, cada aluno e professor ergue a própria varinha para criar uma constelação de luzes, sobrepujando o céu sombrio e ameaçador.

Naquele momento, num cinema em Houston, a um universo da Escola de Magia e Bruxaria de Hogwarts, olhei em volta e vi que duzentos estranhos, a maioria com o rosto banhado em lágrimas, estavam de mão erguida, apon-

---

* "Telefonista, pode fazer a chamada?/ Preciso mandar o meu amor para Baton Rouge." (*N. do T.*)
** "Mantenha a calma e ande com uma varinha mágica." (*N. do T.*)

tando suas varinhas imaginárias para o céu. Por quê? Porque acreditamos na luz. Sim, sabemos que Harry Potter não é real, mas sabemos que a *luz coletiva* é. E é poderosa. E, diante do ódio e da intolerância e da crueldade e de tudo o que aquele céu escuro representava, tínhamos muito mais força unidos.

O PESSOAL DA FM 1960

Eu sei exatamente onde estava em 28 de janeiro de 1986. Estava em Houston, dirigindo pela FM 1960, uma movimentada rodovia de quatro pistas perto do subúrbio de Klein, onde morei na época do ensino médio. Lembro de estar passando por um cruzamento quando vi carros encostando subitamente no meio-fio. Alguns inclusive pararam bem no meio da pista em que estavam. Meu primeiro pensamento foi o de que um caminhão de bombeiros ou ambulância devia estar vindo de trás de nós. Reduzi bem a velocidade, mas mesmo checando várias vezes — nos espelhos laterais, no retrovisor interno, esticando o pescoço para olhar lá trás — não vi as luzes típicas de qualquer veículo de emergência.

Ao ultrapassar lentamente uma picape que havia encostado no meio-fio, olhei para dentro do carro e avistei um homem debruçado sobre o volante com a cabeça enterrada entre as mãos. Na mesma hora pensei: *Estamos em guerra*. Parei na frente dele e liguei o rádio bem a tempo de ouvir o locutor dizer: "Repetindo, o ônibus espacial *Challenger* acaba de explodir."

Não. Não. Não. Não. Comecei a chorar. Vi mais gente encostando. Alguns estavam inclusive saindo do carro. Era como se estivessem desesperados para testemunhar aquela tragédia com outras pessoas — para não terem que saber daquilo sozinhos.

Para nós de Houston, a NASA é mais do que um mero roteiro de possibilidades para a exploração espacial — é acima de tudo onde os nossos amigos e vizinhos trabalham. São a nossa gente. Christa McAuliffe ia ser a primeira professora no espaço. Professores de toda parte são a nossa gente.

Cinco ou dez minutos depois, as pessoas começaram a sair com os carros. Mas agora, ao retornar aos poucos para o trânsito normal, elas estavam ligando os faróis. Ninguém no rádio falou: "Acenda os faróis se estiver dirigindo." Não sei como, a gente instintivamente sabia que todos participávamos dessa procissão de luto. Eu não conhecia aquelas pessoas nem conversei com elas, mas, se você perguntar onde eu estava quando o desastre do *Challenger* aconteceu, a minha resposta vai ser: "Eu estava com a minha gente — o pessoal da FM 1960 — quando a tragédia ocorreu."

NÓS ESCOLHEMOS O AMOR

Nossos filhos estavam no primeiro ano do fundamental. Os filhos deles estavam no primeiro ano do fundamental. A dor, o horror e o medo eram imensuráveis. Nós nos unimos com o único objetivo de estar na companhia um do outro. Não foi para entender o que havia acontecido naquela escola tão longe da nossa — porque *nunca* íamos querer que fizesse sentido. Ficamos sentados chorando em silêncio, o nosso pequeno grupo da vizinhança, com mães, alguns amigos e alguns estranhos, que sentiram a necessidade de ficar juntos. Era 15 de dezembro de 2012, um dia depois que Adam Lanza, de vinte anos, matou a tiros vinte crianças entre seis e sete anos de idade, além de seis funcionários adultos, na escola primária de Sandy Hook, em Newtown, Connecticut.

Lembro de pensar, *Talvez, se todas as mães do mundo se arrastassem até aqueles pais em Newtown, aliviaríamos um pouco da dor. Podíamos diluir a dor deles por todos os nossos corações. Eu toparia. Será que não tem um jeito de arcarmos com um pouco disso por eles? Eu pego a minha parte. Mesmo que isso entristeça cada um dos meus dias.*

Meus amigos e eu não começamos um fundo de doações naquele mesmo dia. Não invadimos a sala da diretora da escola dos nossos filhos pedindo um reforço nas medidas de segurança. Não telefonamos para políticos nem postamos no Facebook. Faríamos tudo isso nos dias seguintes. Mas, tendo passado apenas um dia do tiroteio, nós só ficamos juntos ali, sentados, com mais nada além do som do choro cortando o silêncio de vez em quando. Voltarmo-nos para a nossa dor e o nosso medo compartilhados nos reconfortou.

Estar sozinho no meio de um trauma amplamente divulgado, assistindo a incontáveis horas de noticiários dedicados ou ler um bando de artigos sobre isso on-line é o jeito mais rápido de a ansiedade e o medo entrarem de fininho no seu coração e prepararem o terreno para um trauma secundário. Naquele dia seguinte ao assassinato em massa, decidi chorar com os meus amigos, depois fui para a igreja chorar com estranhos.

Eu nem imaginava que, em 2017, estaria falando num levantamento de doações para o Centro de Resiliência de Newtown e passaria um tempo com um grupo de pais cujos filhos foram mortos em Sandy Hook. O que aprendi com o meu trabalho e o que ouvi naquela noite em Newtown deixam uma coisa bem clara: poucos de nós sabem lidar pessoalmente com a dor do outro. Pior que isso — o nosso desconforto transparece de maneiras que podem magoar essas pessoas e reforçar o seu isolamento. Passei a acreditar que chorar com estranhos salvaria o mundo.

Hoje a placa de boas-vindas a Newtown diz assim: "Nós somos Sandy Hook. Nós escolhemos o amor." Naquele dia, quando me sentei num cômodo com outras mães do meu bairro e chorei, não tinha certeza do que estávamos fazendo ou por quê. Hoje sei que havíamos escolhido o amor de um jeito bem singelo.

Conexão inextricável

Todos esses exemplos de alegria e dor coletivas são experiências sagradas. São tão profundamente humanas que atravessam as nossas diferenças e acessam a nossa natureza mais básica. Essas experiências nos dizem o que é verdadeiro e possível para o espírito humano. Precisamos desses momentos com estranhos como um lembrete de que, apesar do quanto não gostemos de alguém no Facebook ou mesmo em pessoa, continuamos inextricavelmente conectados. E não precisa ser um grande momento, com milhares de estranhos. Podemos nos lembrar da nossa conexão inextricável só de falar com a pessoa ao nosso lado num voo de duas horas.

O problema é que não participamos dessas experiências o suficiente. Nós claramente precisamos delas. Mas é vulnerável se voltar para esse tipo de alegria e dor compartilhadas. Nós nos protegemos. Enfiamos as mãos nos bolsos assistindo ao show, ou reviramos os olhos para a dança, ou colocamos fones de ouvido em vez de conhecer alguém no trem.

É por isso que precisamos capturar esses momentos de faísca humana e agradecer por eles: entre no gramado de Melbourne e peça ao público que pare de cantar o hino do Liverpool e comece a falar sobre o Brexit, e você vai arranjar um problema. Acenda as luzes do cinema e peça aos fãs de Harry Potter e a seus pais que discutam os prós e os contras das escolas públicas em comparação com as particulares e a educação domiciliar, e Voldemort parecerá até mais amigável.

Se você juntasse os homens e as mulheres da FM 1960 numa sala distante do tempo e do contexto da tragédia do *Challenger* e perguntasse a eles se o governo americano devia investir mais em defesa, programas de bem-estar social ou exploração espacial, será que haveria uma distribuição de abraços e tapinhas nas costas? Transforme o show de Garth Brooks num comício político, e é provável que a música vire uma competição de gritaria. Todos esses cenários muito provavelmente vão causar desconexão e reforçar as suspeitas de não termos nada em comum.

Quanto mais nos dispomos a buscar momentos de alegria coletiva e participar de experiências de dor coletiva — de verdade, em pessoa, e não on-line —, mais difícil fica de negar a nossa conexão humana, mesmo entre aqueles com os quais discordamos. Os momentos de emoção coletiva nos lembram não só o que é possível entre as pessoas como também o que há de verdadeiro no espírito humano.

Fomos feitos para a conexão. A questão é que, não importa o caso, ela precisa ser verdadeira.

Uma sensação de sacralidade

O sociólogo francês Émile Durkheim introduziu o termo *efervescência coletiva* em seu livro de 1912, *As formas elementares da vida religiosa*. Durkheim estava investigando o que ele originalmente havia descrito como um tipo de magia testemunhado em cerimônias religiosas. Durkheim explicou que a efervescência coletiva é uma experiência de conexão, de emoção comunal, uma "sensação de sacralidade" que ocorre quando fazemos parte de algo maior que nós mesmos. Durkheim também afirmou que, nessas experiências de efervescência coletiva, o nosso foco muda do indivíduo para o grupo.[8]

Recentemente as pesquisadoras Shira Gabriel, Jennifer Valenti, Kristin Naragon-Gainey e Ariana Young desenvolveram e validaram um instrumento para apurar como somos afetados por essas experiências de *assembleia coletiva* (expressão cunhada por elas).[9] Descobriram que elas contribuem para uma vida cheia de "uma noção de significado, aumento de afeto positivo, uma noção maior de conexão social e uma sensação menor de solidão — todos componentes essenciais de uma vida saudável e feliz".[10]

Em seu artigo de 2017, elas escrevem: "Isso reforça a ideia de que a assembleia coletiva é mais do que apenas pessoas reunidas para se distrair da vida assistindo a um jogo, apresentação musical ou peça de teatro — é antes uma oportunidade de se sentir conectado com algo maior que o próprio indivíduo; é uma oportunidade de vivenciar alegria, conexão social, significado e paz. A assembleia coletiva vem integrando há muito a experiência humana, e o presente trabalho começa a quantificar seus importantes benefícios psicológicos."[11] E parece ter um efeito duradouro — continuamos com os nossos sentimentos de conexão social e bem-estar para além do evento vivido.

Adorei descobrir que a principal pesquisadora do estudo, Shira Gabriel, ouviu falar em efervescência coletiva pela primeira vez com as suas próprias experiências de vida, acompanhando os shows da banda Phish na época da faculdade. O meu irmão mais novo acompanhava os shows do Grateful Dead e também do Phish, então logo me identifiquei com a história dela. Shira Gabriel e sua equipe de pesquisa investigaram por que costumes, peregrinações e datas comemorativas de santos exerciam um papel tão importante na cultura religiosa de antigamente, e por que hoje ainda gostamos de nos reunir em protestos, eventos esportivos e shows. Queremos mais significado e conexão na nossa vida.

Nas conversas com os participantes da nossa pesquisa, a música despontou como um dos mais poderosos catalisadores de alegria e dor coletivas. Ela costuma ser o coração de congregações espirituais, celebrações, funerais e protestos. Desde 2012, quando comandei uma plateia de mil pessoas no World Domination

Summit, em Portland, e todos cantamos Journey, nunca mais duvidei do poder da música como a nossa fonte mais poderosa de alegria coletiva. Até hoje recebo e-mails de gente que estava lá naquele dia. Um dos mais recentes sintetizou bem os sentimentos compartilhados pela maioria dos que me procuraram após o evento: "Já tentei explicar como foi estar ali naquele dia, mas simplesmente não dá para pôr a experiência em palavras. Foi mágico."

Um ministério presencial

Só a santidade vai clamar as pessoas a ouvir agora. E o trabalho de santidade não tem a ver com perfeição ou amabilidade; tem a ver com pertencimento, aquela sensação de estar na Presença e, graças à qualidade desse pertencimento, o magnetismo suave para implicar outros na Presença. (...) Não é forjar um relacionamento com um Deus distante, mas antes a percepção de que já estamos n'Ele.

— *John O'Donohue*[12]

Bem recentemente eu me encontrava no salão suplementar de uma igreja numa cidadezinha do Texas. Era o funeral do pai de Laura, uma boa amiga minha. O salão suplementar não contava com membros do coral nem pianos, só algumas centenas de pessoas em cadeiras dobráveis assistindo aos elogios da igreja principal por um projetor e uma tela de computador. Quando nos pediram para ficar de pé e cantar "Quão grande és Tu",[13] um dos hinos favoritos dele (e meu também), eu não tinha lá muita certeza de como cerca de duzentos estranhos iam fazer para cantar um hino antigo à capela num salão de recepção. Mas nós cantamos, e foi uma experiência sagrada.

O pai de Laura era um herói de cidadezinha que nunca conheceu um estranho na vida. Tudo em que consegui pensar naquela hora foi: *Ele teria amado nossas vozes emboladas e nossos corações em harmonia.* O neurologista Oliver Sacks escreve o seguinte: "A música, exclusiva entre as artes, é completamente abstrata e profundamente emocional. (...) A música é capaz de sozinha atingir o coração; não precisa de mediação alguma."[14]

Os funerais, na verdade, são um dos exemplos mais poderosos de dor coletiva. Fazem parte de uma descoberta surpreendente na minha pesquisa no que diz respeito à confiança. Quando pedi aos participantes que identificassem de três a cinco comportamentos específicos que seus amigos, familiares e colegas fazem para elevarem juntos o seu grau de confiança, os funerais sempre surgiam entre as três principais respostas. Funerais são importantes. Comparecer a eles é importante. E os funerais importam não só para aqueles que estão de luto, mas para todos ali presentes. A dor coletiva (e às vezes a alegria) que experimentamos quando nos reunimos seja de que forma for para celebrar o fim de uma vida talvez seja uma das experiências mais poderosas de uma conexão inextricável. Morte, perda e tristeza são os grandes equalizadores.

Minha tia Betty morreu enquanto eu escrevia este livro. Quando penso nela, penso em rir, acampar, nadar no rio Nueces, dirigir até o seu rancho em Hondo, no Texas, e no nosso acordo tácito de nunca discutirmos política. Também penso na época em que eu tinha uns sete anos de idade e implorava para ela me deixar entrar no "salão de cartas", onde os pais, avós e primos mais velhos gritavam, riam, xingavam, fumavam e jogavam *rook* (o jogo de cartas favorito da família). Eu ficava presa no "quarto das crianças", o que era um tédio. Ela me pegava pelas bochechas e dizia: "Não posso deixar você entrar ali. Aliás, nem queira ver como estão as coisas por lá. Estão feias, acredite."

No lugar de um funeral, Betty quis que nos reuníssemos num churrasco em família no quintal do meu primo Danny. Ela só queria que ríssemos e ficássemos juntos. Danny conduziu as orações, depois contamos anedotas, e Diana cantou "Ave Maria" com Nathan no violão. Fazia 32 graus em Texas Hill Country e mal dava para ouvir as histórias e a música por conta do canto das cigarras. Mas não parei de pensar: *É exatamente isso que significa ser humano.*

Essa humanidade transcende todas aquelas diferenças que nos dividem. No belo livro de Sheryl Sandberg e Adam Grant sobre luto e coragem, *Plano B* (publicado em 2017), Sandberg conta uma história angustiante e franca sobre a dor coletiva. Seu marido, Dave, morreu de repente no meio das férias deles. Os filhos estavam no segundo e no quarto anos do colégio. Assim ela escreve: "Quando chegamos ao cemitério, meus filhos saíram do carro e se jogaram no chão, incapazes de dar um passo. Deitei no gramado, abraçando os dois enquanto choravam. Vieram os primos e se deitaram conosco, formando uma enorme pirâmide de lágrimas. Braços de adultos tentavam, em vão, protegê-los da dor."

Sandberg disse aos filhos: "Este é o segundo pior momento da vida de vocês. Superamos o primeiro e vamos superar este. Daqui para a frente, só pode ficar melhor." Ela então começou a cantar uma canção da sua infância, chamada "Oseh Shalom", uma prece pela paz. E relata: "Não me lembro do momento em que decidi cantar nem do motivo de ter escolhido essa música. Tempos depois fiquei sabendo que é o último verso do kadish, a oração judia para os mortos, o que talvez explique por que brotou em mim naquela hora. Em pouco tempo todos os adultos começaram a cantar junto, seguidos pelas crianças, e o choro parou."[15]

Uma experiência de dor coletiva não nos livra do luto ou da tristeza; é um ministério presencial. Esses momentos nos lembram que não estamos sozinhos em nossa escuridão, e que o nosso coração partido está conectado com todo coração que conhece a dor desde o início dos tempos.

A intimidade de ter um inimigo em comum

Lembro de ter me escangalhado de rir da primeira vez que vi uma almofada no sofá da minha amiga com a mensagem "Se não tiver nada de bom para dizer, sente aqui do meu lado".[16] Vou sair um pouco do papel de "pesquisadora pretensamente boazinha" e fazer duas perguntas bem francas: existe um jeito mais rápido e fácil de fazer amizade com um estranho do que falando mal de alguém que vocês dois conhecem? E existe algo melhor que a sensação de chegar para alguém e destilar muita malícia, fofocas e críticas? Claro que, em ambos os casos, costumo me sentir bem péssima depois, mas convenhamos que a sensação é incrível na hora, bem quando estamos no ato. É uma forma sedutora, confiável e superfácil de se conectar com quase qualquer um. E, meu Deus, como pode ser engraçado!

Mas vejamos aquela almofada por outro ângulo. A conexão que forjamos julgando e ridicularizando os outros não é uma conexão de verdade, como nos exemplos que descrevi antes. Em compensação, a dor resultante disso é bem real. Uma conexão construída maliciosamente tem tanto valor quanto a própria malícia — zero.

Nas conversas para a minha pesquisa sobre a vergonha, muitos dos participantes comentavam sobre a dor que era entreouvir os outros falando deles, ou sobre a vergonha de descobrir o que exatamente diziam deles. Foi tão dilacerante que decidi partir para uma prática de fofoca zero. Nossa, no começo foi bem solitário. Mas foi também dolorosamente educativo. Em questão de *semanas*, percebi que várias das minhas conexões, que eu via como amizades verdadeiras, se baseavam apenas em falar dos outros. Quando isso acabou, ficamos sem interesses em comum e também sem assunto.

Se mudarmos o foco da nossa vida pessoal para a cultura política e ideológica dos dias de hoje, eu diria que as pessoas que nos acompanham naqueles sofás da fofoca muitas vezes não nos fazem sentir uma conexão inextricável ou uma forte noção de comunidade. É que simplesmente passamos a andar com gente que odeia as mesmas pessoas que nós. Isso não é conexão, e sim uma situação de "conosco ou contra nós". É a intimidade de ter um inimigo em comum. *Não conheço você de verdade nem estou engajado no nosso relacionamento, mas gosto do fato de odiarmos as mesmas pessoas e desprezarmos as mesmas ideias.*

A intimidade de ter um inimigo em comum é uma conexão falsa e oposta ao verdadeiro pertencimento. Se o vínculo partilhado com os outros se resume a odiar as mesmas pessoas, a intimidade que experimentamos é frequentemente intensa, imediatamente gratificante e um jeito fácil de extravasar a indignação e a dor. Mas não é combustível para conexão de verdade. É combustível que queima com força e rapidez, e deixa um rastro de poluição emocional. E, se vivemos com um mínimo de autoconsciência, é também o tipo de intimidade capaz de nos deixar com os intensos arrependimentos de uma ressaca de integridade. *Sério que eu participei disso? Isso vai nos levar para a frente? Será que não estou praticando, literalmente, o mesmo comportamento que acho repugnante nos outros?*

Entendo que estes sejam tempos de incertezas e ameaças. Muitas vezes sinto o impulso de me refugiar e buscar segurança num grupo. Mas não está dando certo. Aglomerados detrás dos mesmos redutos de crença e ideologia política ou social, ainda assim nos sentimos sozinhos neles. E, pior ainda, estamos o tempo todo nos monitorando. A iminente ameaça de represálias caso expressemos uma opinião ou ideia que bata de frente com os nossos companheiros de reduto nos mantém num estado de constante ansiedade. Quando tudo o que nos liga é aquilo em que acreditamos e não quem somos, mudar de ideia ou questionar a ideologia coletiva se torna um risco.

Quando um grupo ou comunidade não tolera divergência e discordância, ele abre mão de qualquer experiência de conexão inextricável. Não existe um verdadeiro pertencimento ali, apenas um acordo tácito para odiarem as mesmas pessoas. Isso acaba alimentando a nossa crise espiritual de desconexão.

Assim, por mais profundamente que as experiências coletivas nos animem, fica claro que nem todos esses momentos são criados iguais. Quando um coletivo é formado à custa dos outros — por exemplo, em prol da desvalorização ou da degradação de outra pessoa ou grupo de pessoas, ou mesmo apesar disso —, não se cura a crise espiritual de desconexão. Na verdade, estão fazendo exatamente o oposto ao alimentá-la. Não é a verdadeira alegria coletiva se for à custa dos outros, e não é a verdadeira dor coletiva se causa dor nos outros. Quando torcidas de futebol gritam provocações racistas contra os jogadores ou quando as pessoas se reúnem com ódio pelo motivo que for, as práticas de verdadeiro pertencimento e conexão inextricável se tornam automaticamente nulas e falidas.

Quando perguntei aos participantes da pesquisa sobre marchas e manifestações de protesto enquanto experiências de alegria ou dor coletivas, a resposta foi a mesma de quando perguntei sobre cerimônias religiosas: "Depende da experiência." Ao investigar para entender melhor por que algumas eram assim consideradas e outras não, vi ressurgirem as linhas limítrofes da intimidade de ter um inimigo em comum: desumanizar e objetificar anulam a alegria e a dor coletivas. Uma mulher de quarenta e poucos anos explicou: "Posso ir à igreja e ter a experiência mais incrível de conexão espiritual, me sentindo parte de algo que transcende as diferenças. Também posso ir à igreja e sair dali furiosa, se o padre usar a homilia como palanque para falar de política e indicar candidatos. Essas experiências estão cada vez mais comuns. Daqui a pouco não vai valer mais a pena voltar lá."

Minha filha e eu participamos da Marcha das Mulheres de 2017, em Washington, D.C. Para mim, alguns momentos pareceram alegria *e também* dor coletivas de verdade, enquanto outros fugiram a essa experiência. Por conta de um desembarque de Uber malcalculado, nos vimos no meio do assustador e descabido vandalismo praticado às margens da marcha, e também da consequente resposta da polícia de choque. Isso foi logo seguido por dois jovens com bonés do Trump gritando "Vão se foder, liberais retardadas!" para um grupo de jovens que simplesmente descia a rua com suas camisetas feministas.

Numa única caminhada de um quarteirão, tivemos provas cabais de que extremistas de ambos os lados do espectro político têm mais em comum entre si do que com a vasta maioria dos eleitores dos seus próprios distritos. O que eles fazem é aproveitar qualquer oportunidade para extravasar a sua dor e mágoa e os seus sentimentos de insignificância ou impotência suprimidos e ressentidos. Vale dizer, essas emoções não são realmente suprimidas, e, quando lidamos com elas em outras pessoas, é algo perigoso.

A maioria dos discursantes da marcha soube nos conectar em momentos unificadores, mas alguns exploraram nossa emoção de um jeito muito parecido com as táticas dos seus opositores, incluindo comentários desumanizadores sobre políticos. O interessante é que dava para sentir *fisicamente* a energia passando da multidão para o discursante, naqueles momentos que nos levaram de "Saibam o que é possível!" e "Saibam no que acreditamos!" para "Saibam o que e a quem odiamos". A energia era transferida do poder do público para a performance do discursante.

A assembleia coletiva atende a anseios humanos primitivos por experiências sociais compartilhadas. Mas precisamos ficar atentos para como e quando eles são explorados e manipulados para fins indevidos, alheios à conexão autêntica. Enquanto uma assembleia coletiva está curando as feridas de uma comunidade traumatizada, outra assembleia talvez esteja lhe causando um novo trauma. Quando nos unimos para partilhar alegria, esperança e dor autênticas, dissipamos o cinismo generalizado que costuma encobrir o melhor da natureza humana. Quando nos associamos sob a falsa bandeira da intimidade de ter um inimigo em comum, reforçamos o cinismo e reduzimos o nosso valor coletivo.

Entrando nas redes

Entre os nossos esforços para criar mais oportunidades de alegria e dor coletivas, será que as redes sociais podem desempenhar um papel positivo? Ou elas não passam de um lar para imagens de ódio e memes de gatos? Poderiam as redes sociais nos ajudar a cultivar relacionamentos autênticos e o verdadeiro pertencimento, ou será que elas sempre atrapalham? São essas as questões com as quais todos lidamos hoje.

Tem dias em que simplesmente amo as redes sociais, da rápida e poderosa justiça que elas proporcionam até o fluxo infinito de fotos de cupcakes imitando suculentas. Mas tem dias que me dão a certeza de que o Facebook, o Twitter e o Instagram só existem para me tirar do sério, me deixar triste, me lembrar das minhas inadequações e dar palco para todo tipo de gente perigosa.

Cheguei à conclusão de que a interação com as redes sociais lembra o fogo — você pode usá-las para se manter aquecido e alimentado, ou pode reduzir tudo a cinzas. Tudo vai depender das suas intenções, expectativas e capacidade de diálogo com o mundo real.

Quando comecei a investigar essa questão com os participantes da pesquisa, havia pouca ambiguidade. Ficou claro que a conexão face a face é imperativa na nossa prática de verdadeiro pertencimento. Não só o contato face a face se mostrou essencial pelos resultados dos participantes da minha pesquisa como também estudos em todo o mundo confirmam essas conclusões. As mídias sociais só ajudam a cultivar a conexão na medida em que são usadas para criar comunidades no mundo real, contando com uma estrutura, um propósito e um significado, e ainda um mínimo de contato face a face.

Entre os pesquisadores mais respeitados da área está Susan Pinker. Em seu livro *The Village Effect*, Pinker escreve o seguinte: "Num curto período evolutivo, passamos de primatas que vivem em grupo, capazes de interpretar cada gesto e intenção alheios, para espécies solitárias, cada um de nós mais preocupado com a própria tela."[17] Partindo de estudos em diversas áreas, Pinker conclui que não existe substituto para as interações face a face. Comprovou-se que elas reforçam o nosso sistema imunológico, liberam hormônios benéficos em nossa corrente sanguínea e em nosso cérebro e nos propiciam longevidade.

Pinker acrescenta: "Considero essa construção como sendo a sua aldeia, e construí-la é uma questão de vida ou morte."[18]

Quando ela diz "vida ou morte", não está de brincadeira. Acontece que tudo o que ela descobriu complementa o que já lemos sobre a solidão: a interação social nos propicia vidas mais longas e saudáveis. Muito mais. Pinker assim escreve: "Na verdade, perder a proximidade com pessoas importantes para você é no mínimo tão prejudicial à sua saúde quanto fumar um maço de cigarros por dia, hipertensão ou obesidade."

A boa notícia é que esse contato não precisa ser uma interação tão demorada nem íntima, embora isso também seja bom. Olhar a pessoa nos olhos, um aperto de mãos ou outros cumprimentos reduzem a sua cortisona e liberam dopamina, deixando-o menos estressado e lhe dando um singelo impulso químico. Segundo Pinker, "pesquisas demonstram que jogar cartas uma vez por semana ou encontrar os amigos toda quarta à noite no Starbucks acrescentam tantos anos de vida quanto ingerir betabloqueadores ou abandonar o hábito de fumar um maço por dia".[19]

As redes sociais são ótimas para o desenvolvimento da comunidade, mas, para o verdadeiro pertencimento, a conexão e a empatia autênticas exigem o encontro de pessoas reais num espaço real em tempo real. Tenho um exemplo disso na minha própria vida.

O Facebook e o meu primeiro amor de verdade

Lembram da Eleanor do primeiro capítulo — a minha melhor amiga durante a passagem da minha família por Nova Orleans? Ela era a minha melhor amiga do mundo inteiro. A gente se conheceu quando tinha cinco anos de idade. Os primeiros melhores amigos são mesmo os primeiros amores de verdade. Ela era minha, e eu era dela. Por anos a gente foi inseparável. Todo dia, durante o ano letivo, andávamos de bicicleta pelo campus da Tulane para ir e voltar da escola, às vezes parando para tomar sorvete ou entrando escondidas no Der Rathskeller do grêmio estudantil para beber refrigerante.

Tínhamos uma coreografia completa de dança e lip-sync para "Band on the Run", do Paul McCartney & Wings.[20] Fazíamos bagunça durante a missa e nos orgulhávamos de nunca terem nos flagrado. Um dia, entramos escondidas pela parte de trás do Newman Center, onde assistíamos ao que chamávamos carinhosamente de "igreja hippie", e comemos um punhado de hóstias da Eucaristia. Tínhamos a certeza de que íamos direto para o inferno, mas pelo menos estaríamos juntas. Nós duas éramos de famílias grandes, então o que mais amávamos era fugir da algazarra juntas em nossas bicicletas, em busca de aventuras.

Como escrevi antes, quando eu estava na quarta série, meu pai foi transferido de Nova Orleans para Houston. Eleanor e eu ficamos arrasadas. Mas fizemos um pacto para ver aquilo com otimismo e nos encontrarmos sempre que possível. Antes da mudança, meus pais me tiraram da escola por uma semana e deixaram meu irmão, minhas irmãs e eu na casa da minha avó em San Antonio, enquanto procuravam casas em Houston. Eu tinha nove anos, Jason tinha cinco, e os gêmeos tinham um.

Não ficamos na casa da minha avó por mais de um dia até ambos os gêmeos passarem mal do estômago. Depois eu mesma adoeci. Daí foi a vez do meu irmão. Minha avó tranquilizou os meus pais quando ligaram de Houston e insistiu que ela seguraria as pontas em casa. Dois dias, cinco viagens até a lavanderia e um balde de sopa de galinha depois, todos melhoraram, menos eu. Eu estava adoecendo ainda mais. No fim, fiquei tão doente que a minha avó pediu aos meus pais que voltassem.

Em 24 horas, fui parar numa cirurgia de emergência por conta de um apêndice rompido e gangrenado. A minha avó não tinha como adivinhar; foi uma combinação inesperada de sintomas praticamente idênticos. Os problemas logo se multiplicaram. Tínhamos dúvidas se o cirurgião convocado para a cirurgia de emergência se encontrava inteiramente sóbrio, e complicações imediatas se desenvolveram no pós-operatório. No fim, meus pais me tiraram "contra aconselhamento médico" na calada da noite rumo a outro hospital, onde passei duas semanas em convalescença. Meus pais então me deixaram no Texas com a minha avó e foram preparar a mudança.

Nunca mais voltei a ver Eleanor.

Mas no começo de 2009 encontrei Eleanor no Facebook. Iniciei o contato e em poucos minutos nos reconectamos (*obrigada, Facebook!*). Desde então as nossas famílias têm passado algum tempo juntas. Sou próxima dos filhos dela, ela é próxima dos meus, e nossos maridos são amigos. Foi de verdade uma das dádivas mais inesperadas da minha vida. Quando nos reencontramos pela primeira vez, passamos horas botando tudo em dia, da dor e da perda que havíamos passado ao longo dos anos até os nossos momentos mais intensos de felicidade. Foi uma conversa que nunca teria acontecido on-line. Pedia um sofá no meio da noite, chá e pijamas.

O que eu queria enfatizar aqui é que a alegria não veio da reconexão no Facebook. Ela veio e ainda vem das nossas longas caminhadas, de pingue-pongue em família, campeonatos de *Four Square*, e de vermos filmes juntos. O Facebook foi o catalisador. O "face a face" foi a conexão.

A coragem e o coletivo

Uma das coisas que adoro fazer quando ensino o conceito de vulnerabilidade é mostrar vídeos de *flash mobs* e outros momentos de alegria coletiva aos alunos. O que você vai ver em cada um desses vídeos é o jeito despreocupado e sincero com que crianças em idade escolar aderem a essa experiência. Adultos? Alguns sim, outros nem tanto. Pré-adolescentes e adolescentes? Raramente. Estão mais propensos a preferirem a morte. Tanto a alegria como a dor são experiências vulneráveis para quem está sozinho — e o são ainda mais estando ao lado de estranhos.

O alicerce da coragem é a vulnerabilidade — a capacidade de enfrentar a incerteza, o risco e a exposição emocional. É preciso coragem para nos abrirmos para a alegria. Inclusive, conforme já escrevi em outros livros, acredito que a alegria provavelmente seja a emoção mais vulnerável que experimentamos. Temos medo de que, se nos permitirmos senti-la, vamos ser surpreendidos por um infortúnio ou pela decepção. É por isso que, em momentos de verdadeira alegria, muitos de nós consideramos a hipótese de uma tragédia. Vemos nossos filhos saindo para o baile, e tudo em que conseguimos pensar é "acidente de carro". Ficamos animados com as férias iminentes e começamos a pensar em "furacão". Tentamos nos antecipar à vulnerabilidade imaginando o pior ou não sentindo nada, na esperança de "não afundar ainda mais na lama". Chamo isso de agourar a alegria.

O único jeito de combater o agouro da alegria é pela gratidão. Ao longo dos anos, os homens e mulheres que mais se entregavam à alegria eram aqueles que praticavam a gratidão. Nesses momentos vulneráveis de alegria individual ou coletiva, precisamos praticar a gratidão.

A dor também é uma emoção vulnerável. É preciso verdadeira coragem para nos permitirmos sentir dor. Quando sofremos, muitos de nós causam dor com mais eficiência do que a sentem. Distribuímos as feridas em vez de deixar que fiquem em nós.

Assim, para buscar momentos de alegria coletiva e participar dos momentos de dor coletiva, precisamos ser corajosos. Isso significa que precisamos ser vulneráveis. Em cada um dos mais de duzentos mil dados resultantes da minha pesquisa, não encontro um único exemplo de coragem que não tenha exigido vulnerabilidade. Você encontra, na sua vida? Consegue pensar num momento de coragem que não tenha exigido risco, incerteza e exposição emocional? Eu sei que a resposta é negativa; já perguntei a muita gente que me diz isso — inclusive soldados das forças especiais. Sem vulnerabilidade, nada de coragem. Precisamos comparecer e nos expor. Quando a cantoria começa e a dança é iminente, precisamos no mínimo bater com os pés e murmurar. Quando as lágrimas caem e uma história difícil é contada, precisamos comparecer e permanecer junto à dor.

E por mais que valorizemos "enfrentar por conta própria" e por mais que às vezes nos associemos aos outros pelas razões erradas, em nosso coração queremos acreditar que, apesar das nossas diferenças e da necessidade de desbravar a natureza selvagem, nem sempre precisamos caminhar sozinhos.

Sete COSTAS FORTES. FRONTE SUAVE. CORAÇÃO INDOMADO.

Com muita frequência a nossa suposta força vem do medo, não do amor; em vez de ter costas fortes, muitos de nós temos uma fronte fortificada protegendo uma coluna fraca. Em outras palavras, andamos por aí frágeis e na defensiva, tentando disfarçar a nossa falta de confiança. Se fortalecermos nossas costas, metaforicamente falando, e desenvolvermos uma coluna flexível mas resistente, poderemos nos arriscar a ter uma fronte suave e aberta. (...) Como podemos dar e receber cuidado com uma compaixão de costas fortes e fronte suave, passando do medo para um lugar de genuína ternura? Acredito que isso só acontece quando conseguimos ser transparentes de verdade, vendo o mundo com clareza — e deixando o mundo ver dentro de nós.

— Roshi Joan Halifax[1]

A primeira vez que ouvi a expressão "costas fortes, fronte suave" foi com Joan Halifax. Estávamos fazendo um evento juntas no Omega Institute, em Nova York — um dos meus lugares favoritos. Confesso que fiquei meio intimidada em conhecê-la; a Dra. Halifax é uma professora budista, além de sacerdote zen, antropóloga, ativista e autora de vários livros sobre o budismo engajado. Nos encontramos pela primeira vez no ensaio técnico da nossa noite de bate-papo. Ela era sensata e, o que mais lembro, engraçada pra cacete. Quando já estávamos de saída, comentei: "Estou morta, mas acho que agora vem o encontro com o público."

Ela me olhou e perguntou: "Eu vou descansar no meu quarto para hoje à noite. Por que não faz isso também?"

Falei para ela que parecia ótimo, mas me sentia mal dizendo que não ia. Nunca vou esquecer o que ela me respondeu. "Hoje à noite vamos exalar e ensinar. Agora é o momento de inalar. Temos a inspiração e a expiração, e é fácil achar que a gente precisa exalar o tempo todo, sem nunca inalar. Mas a inalação é absolutamente essencial para quem quer continuar exalando."

Caramba.

Na sua fala daquela noite, ela explicou a abordagem budista de costas fortes e fronte suave. Durante o meu trabalho de pesquisa para este livro, essa imagem ficou me voltando à mente. Se vamos fazer do verdadeiro pertencimento uma prática diária na nossa vida, vamos precisar de costas fortes e uma fronte suave. Precisamos tanto de coragem quanto de vulnerabilidade, ao abandonarmos a certeza e a segurança dos nossos redutos ideológicos e partirmos para a natureza selvagem.

Só que o verdadeiro pertencimento é mais do que costas fortes e uma fronte suave. Tendo reunido coragem e nos firmado sozinhos para afirmar nossas crenças e fazer o que é certo apesar das críticas e do medo, podemos então sair da natureza selvagem, mas ela deixou uma marca em nosso coração. Não significa que ela tenha se tornado menos difícil, mas que, uma vez que a tenhamos desbravado por conta própria, estaremos dolorosamente cientes das nossas escolhas daqui para a frente. Podemos passar a vida toda traindo a nós mesmos e optando por nos adequarmos em vez de nos firmarmos sozinhos. Mas, uma vez que nos defendemos por nós mesmos e por nossas crenças, a exigência é maior. Um coração indomado resiste à ideia de se adequar e sofre com a traição.

Costas fortes

Todos vamos passar o resto da vida desenvolvendo costas fortes e uma fronte suave e tentando ouvir o que nosso coração indomado nos sussurra. Mas para alguns o foco principal do trabalho acaba sendo o de fortalecer as costas. Costumamos ter esse desafio pessoal quando o que outras pessoas pensam de nós nos afeta. Buscar perfeição, agradar, ter que se provar e fingir agem como obstáculos para costas fortes. Um jeito de fortalecermos o nosso músculo da coragem é aprendendo a colocar o BRAVING em prática. O trabalho ficaria mais ou menos assim:

Limites: Aprender a definir, preservar e respeitar limites. O desafio é se desapegar da admiração dos outros e do medo de decepcioná-los.

Confiabilidade: Aprender a se expressar com transparência e não falar da boca para fora. O desafio é não exagerar nos seus esforços e nas suas promessas só para agradar os outros ou provar alguma coisa a eles.

Responsabilização: Aprender a amadurecer, ser responsável, assumir a responsabilidade e pedir desculpas sinceras quando estiver errado. O desafio é se desapegar da culpa e ficar bem longe da vergonha.

Sigilo: Aprender a guardar segredos, discernir o que é da nossa conta e pode ser compartilhado e o que não é. O desafio é parar de usar fofocas, a intimidade de ter um inimigo em comum e o compartilhamento excessivo para facilitar a conexão.

Integridade: Aprender a praticar os nossos valores mesmo quando for desconfortável e difícil. O desafio nessas horas é escolher a coragem no lugar da comodidade.

Não julgamento: Aprender a dar e a receber ajuda. O desafio é dissociar a nossa identidade e a nossa fonte de autoestima do rótulo daquele que "sempre ajuda e conserta tudo".

Generosidade: Aprender a definir os limites que nos permitem ser generosos nas nossas suposições alheias. O desafio é ser franco e claro com os outros sobre o que é aceitável e o que não é.

Naquela entrevista para Bill Moyers, a Dra. Angelou disse: "Eu pertenço a mim mesma. Tenho muito orgulho disso. Estou sempre muito preocupada com como olho para Maya. Gosto demais dela."[2] Nossa tarefa é chegar ao ponto em que gostamos de nós mesmos e nos importamos quando somos muito autocríticos ou deixamos que outras pessoas nos calem. A natureza selvagem exige esse tanto de amor-próprio e respeito a si mesmo.

Um poderoso exemplo de costas fortes vem da minha amiga Jen Hatmaker. Jen é escritora, pastora, filantropa e líder comunitária. No ano passado, acompanhei a sua travessia por uma natureza selvagem e brutal com graça, pesar e força. Sendo uma conhecida líder religiosa de uma comunidade cristã conservadora/moderada, Jen escreveu sobre o seu total apoio aos direitos e à inclusão LGBT, e experimentou uma reação abertamente hostil de muitos em sua comunidade. Eu quis saber o que ela viveu e sentiu naquela natureza selvagem. Sua resposta foi a seguinte:

> Não vou dourar a pílula: ficar no precipício da natureza selvagem é de gelar os ossos. Como o pertencimento é algo tão primitivo, tão necessário, a ameaça de perder a própria tribo ou de seguir sozinho soa tão aterrorizante que afasta a maioria de nós da natureza selvagem por toda a vida. A aprovação humana é um de nossos ídolos mais venerados, e a oferta que devemos deixar a seus pés famintos é *a manutenção do conforto alheio*. Estou convencida de que o desconforto é o maior obstáculo da nossa geração. Proteger o *status quo* de nossas convicções pessoais é, obviamente, um luxo só para privilegiados, já que os oprimidos, atípicos e marginalizados não têm escolha senão lidar com a natureza selvagem diária. Mas escolher o astuto posto avançado para além da segurança dos portões da cidade exige um legítimo ato de coragem. Esse primeiro passo é de tirar o fôlego.
>
> Falar contra estruturas de poder que mantêm alguns do lado de dentro e outros fora tem um custo, e a moeda corrente mais retirada da minha conta é a do *pertencimento*. Assim, a natureza selvagem pode se mostrar muito solitária e punitiva, agindo como um poderoso desmotivador. Mas descobri algo lindo; os degraus mais solitarios são aqueles entre os muros da cidade e o coração da natureza selvagem, onde a segurança só é vista no espelho retrovisor, novos territórios vão se desdobrar à frente e o caminho rumo ao

desconhecido parece vazio. Mas dê um passo após o outro, avançando por tempo suficiente para penetrar de verdade a natureza selvagem, e você vai se surpreender com o tanto de gente que já vive por lá — prosperando, dançando, criando, celebrando, pertencendo. Não é uma terra infértil. Não é território desprotegido. Não é desprovido de crescimento humano. A natureza selvagem é onde todos os criativos e profetas e críticos do sistema e desbravadores sempre viveram, e é incrivelmente intensa. A caminhada é difícil, mas a autenticidade lá de fora é vida.

Desconfio de que a natureza selvagem seja um lar permanente para mim, o que é feliz e também difícil. Um amigo querido me enviou uma mensagem durante aqueles passos iniciais tão severos, tendo rompido com as linhas partidárias de forma irremediável após discutir publicamente por uma frágil interpretação do catecismo. Tem essa história maravilhosa e estranha em Gênesis 32 sobre Jacó lutando fisicamente contra Deus a noite toda na natureza selvagem (na natureza de verdade, no caso), e vendo que Jacó não ia se render e ouvindo-o gritar: "*Não te deixarei ir, se não me abençoares!*", Ele tocou o quadril de Jacó e deslocou sua coxa — um lembrete permanente da luta de um homem determinado, teimoso e obstinado contra Deus; um ato absurdo e destemido, tão ultrajante quanto espantoso. A mensagem do meu amigo dizia assim: "*Você é como Jacó. Não deixou Deus partir até que Ele abençoasse você nesse espaço. E Ele irá. Você realmente vai descobrir novas terras. Mas vai estar sempre mancando.*" Então escolhi a natureza selvagem, por ser onde posso dizer a verdade e liderar com mais coragem e me unir aos meus companheiros de fora, mas mancar vai me lembrar do custo, do que ficou para trás, o que sempre me fará sentir meio triste e meio ferida. Terá valido a pena? Sem dúvida alguma. E espero que mancar mostre aos outros habitantes da natureza selvagem que, mesmo familiarizada com a dor, não consegui sair ilesa da experiência. Aos atípicos, desconfio de que isso não vai embaçar nem um pouco a nossa festa dançante na natureza selvagem.[3]

Uma festa dançante na natureza selvagem? Estou dentro.

Uma fronte suave

A incrível história de Jen sobre suas experiências na natureza selvagem me levou a duas conclusões:

1. Precisamos manter nossas costas sempre fortes — não se resolve de uma só vez; e
2. Gente, como é difícil manter a fronte suave no meio de tanta amargura!

Assim como Jen, também expus opiniões entre a minha comunidade, e a reação de alguns me embasbacou. Da frase "Fique de boca fechada" a ameaças violentas e ricas em detalhes à minha família. A minha resposta mais visceral é "Costas fortes, fronte *blindada*". Mas não se vive assim. A vulnerabilidade é de onde nascem o amor, a alegria, a confiança, a intimidade e a coragem — tudo o que dá sentido à nossa vida. "Fronte blindada" soa ótimo quando estamos sofrendo, mas no fim acaba nos causando ainda mais dor. Quando deixamos que as pessoas se aproveitem da nossa vulnerabilidade ou nos encham do ódio que sentem, mudamos a nossa vida inteira por elas.

Muitos de nós nos blindamos desde crianças para nos protegermos. Quando adultos, começamos a perceber que a blindagem nos impede de desenvolver os nossos dons e a nós mesmos. Assim como podemos trabalhar o nosso músculo da coragem para fortalecer as costas analisando a nossa necessidade de sermos perfeitos e de agradar os outros à custa da nossa própria vida, podemos também exercitar o músculo da vulnerabilidade, que nos permite baixar a bola e continuar abertos em vez de atacar e defender. Isso é ficar confortável com a vulnerabilidade. Na maior parte do tempo, abordamos a vida com a fronte blindada por dois motivos: (1) não estamos confortáveis com as emoções e comparamos vulnerabilidade com fraqueza; ou (2) nossas experiências traumáticas nos ensinaram que a vulnerabilidade é mesmo perigosa. A violência e a opressão transformaram a nossa fronte suave num fardo, e é difícil encontrar um lugar emocional e fisicamente seguro o bastante para sermos vulneráveis. A definição de vulnerabilidade é incerteza, risco e exposição emocional. Mas a vulnerabilidade não é fraqueza; é a nossa ferramenta mais precisa para medir a coragem. Quando a barreira é a nossa crença na vulnerabilidade, a questão passa a ser: *Estamos dispostos a comparecer e a sermos vistos quando não temos como controlar os resultados?* Quando a barreira à vulnerabilidade é uma questão de segurança, a questão então passar a ser: *Estamos dispostos a criar espaços corajosos para sermos vistos em nossa plenitude?*

Uma fronte suave e aberta não é ser fraco; é ser corajoso, é ser a natureza selvagem.

Coração indomado

Eu queria que existisse um aperto de mão secreto para o clube do coração indomado. Eu amo esse tipo de coisa. Quero que a recompensa por desbravar a natureza selvagem seja um tipo de ritual ou símbolo que diga: *Eu faço parte desse clube do coração selvagem. Sei o que significa se firmar sozinho e enfrentar as críticas, o medo e a mágoa. Conheço a liberdade de pertencer a qualquer lugar e a lugar algum. A recompensa é ótima, mas acredite: quando Maya Angelou disse que "o preço é alto",[4] ela não estava brincando. Cumpri essa missão e tenho cicatrizes para provar.*

Mas a natureza selvagem não distribui carteirinhas de sócios. Um coração indomado não está sempre visível — mas é o nosso maior bem espiritual. Vale lembrar as palavras de Carl Jung sobre o paradoxo: "O paradoxo é um dos nossos bens espirituais mais preciosos (...) só o paradoxo chega perto de abarcar a plenitude da vida."[5] É crucial aprender a lidar com a tensão inerente às quatro práticas e com os vários paradoxos descritos neste livro se quisermos enfrentar a atual crise espiritual.

A marca de um coração indomado é vivenciar o paradoxo do amor em nossas vidas. É a capacidade de combinar rigor e fraternidade, empolgação e temor, coragem e medo — tudo no mesmo momento. É manifestarmos a nossa vulnerabilidade e a nossa coragem, sendo tão impetuosos quanto gentis.

Um coração indomado também é capaz de suportar a tensão de perceber o mundo em convulsão e lutar por justiça e paz, sem deixar de cultivar os próprios momentos de alegria. Conheço muita gente, inclusive eu mesma, que sente culpa e até vergonha desses momentos de alegria. Como posso me divertir nesta linda praia com a minha família quando tanta gente por aí não tem moradia nem segurança? Por que estou me matando para decorar os cupcakes de aniversário do meu filho como minions do *Meu malvado favorito* quando tantas crianças sírias estão morrendo de fome? *Que diferença esses cupcakes idiotas fazem, afinal?* Eles importam porque a alegria importa.

Seja você um dedicado ativista ou um voluntário na sua mesquita ou no seu restaurante popular local, a maioria de nós está se mobilizando para garantir que as necessidades básicas das pessoas sejam atendidas e para que os seus direitos civis sejam respeitados. Mas também trabalhamos para garantir que todos experimentem o que dá sentido à vida: amor, pertencimento e alegria. Estas são necessidades essenciais e irredutíveis de todos nós. E não podemos dar às pessoas o que não temos. Não podemos lutar pelo que não está no nosso coração.

Mais uma vez, a fórmula da alegria é a prática da gratidão. Entrevistei pessoas que sobreviveram a traumas severos, da perda de um filho até o genocídio. O que mais ouvi nesses quinze anos ouvindo e carregando suas histórias foi o seguinte: *Quando você é grato pelo que tem, sei que entende a magnitude do que eu perdi.* Também descobri que quanto mais diminuímos nossa própria dor, ou a classificamos de acordo com o que os outros viveram, menos empáticos nos tornamos para todos. Quando abrimos mão da nossa própria alegria para fazer com que aqueles que estão em apuros se sintam menos solitários ou para sentirmos menos culpa ou parecermos mais engajados, acabamos nos esvaziando do que é preciso para nos sentirmos plenamente vivos e cheios de propósito.

E às vezes, quando não reconhecemos a dor alheia ao experimentarmos nossa própria alegria, nós fechamos os olhos, nos isolamos, fingimos que não há nada que possamos fazer para melhorar as coisas e descartamos a ideia de ajudar os outros. Essa capacidade de descartar o sofrimento e a injustiça ou de fingir que tudo está bem representa a síntese do privilégio: *Hoje escolho não reconhecer o que está ocorrendo ao meu redor por ser difícil demais.* A meta é chegar ao ponto onde conseguimos pensar: *Sei do que está acontecendo, do papel que eu desempenho e de como posso ajudar*, e *Não significa que eu precise renegar a alegria da minha vida.*

Um coração indomado está ciente da dor no mundo, sem por isso diminuir sua própria dor. Um coração indomado consegue bater com gratidão e se amparar na mais pura alegria sem ignorar o mundo em convulsão. Nós suportamos essa tensão graças ao espírito da natureza selvagem. Nem sempre é fácil ou confortável — às vezes vamos contra a pressão da correnteza —, mas o que torna tudo possível é uma fronte feita de amor e costas robustas de coragem.

Se voltarmos à definição de verdadeiro pertencimento, veremos que ela é construída sobre um alicerce de tensões e paradoxos:

> O verdadeiro pertencimento é a prática espiritual de acreditar e pertencer a si mesmo tão intensamente que é possível partilhar a sua versão mais autêntica com o mundo e ainda encontrar sacralidade, seja fazendo parte de algo maior ou se firmando sozinho na natureza selvagem. O verdadeiro pertencimento não requer que você *mude*; requer que você *seja* quem é.

E voltamos a sentir a pressão aqui, em nossas práticas:

> De perto, é mais difícil odiar o outro. Aproxime-se.
> Bata de frente com as merdas que ouvir. Seja civilizado.
> Dê a mão. A completos estranhos.
> Costas fortes. Fronte suave. Coração indomado.

A marca de um coração indomado é obtida na natureza selvagem, mas existe ainda uma prática diária que aprendi aqui, fundamental para a nossa busca rumo ao verdadeiro pertencimento. Essa prática mudou a forma como eu me coloco diante da vida, como ajo como mãe e como líder:

> Pare de vagar pelo mundo atrás da confirmação de que você não pertence a lugar algum. É algo que você sempre vai encontrar, porque fez disso a sua missão. Pare de analisar o rosto das pessoas atrás de evidências de que você

> não é o bastante. É algo que você sempre vai encontrar, porque fez disso a sua meta. O verdadeiro pertencimento e a autoestima não são bens; não negociamos seu valor com o mundo. A verdade sobre quem somos vive no nosso coração. Nosso chamado à coragem é proteger nosso coração indomado das constantes avaliações, sobretudo das nossas. Ninguém pertence mais a este lugar do que você.

Não é fácil deixar de procurar a confirmação de que não pertencemos a lugar algum ou de que não somos o bastante. Isso é no mínimo um hábito para a maioria de nós, e na pior das hipóteses confirma que as nossas inadequações são um trabalho de tempo integral. Quando essa diretriz se formou pela primeira vez na pesquisa, comecei a trabalhar nela, pouco a pouco. Eu definia a intenção de parar de procurar pela confirmação de que não era inteligente o bastante ao entrar numa reunião, ou de que não pertencia a lugar algum durante uma reunião de pais na escola do meu filho. Mal consegui acreditar no poder dessa prática. Meu filho Charlie está no ensino médio, e minha filha Ellen começou o seu primeiro ano na faculdade. Tivemos uma longa conversa sobre a validade dessa prática, e ambos disseram que logo viram a diferença em como estavam agindo com seus amigos e em suas vidas.

Dado o meu histórico pessoal e o meu trabalho, sempre tive a crença de que o amor e o pertencimento são o ponto de partida da parentalidade sincera. Se eles souberem que são amados e amáveis, se souberem amar, e se souberem que, não importa o que aconteça, eles ainda pertencem à nossa casa, todo o resto vai dar certo. Mas, à medida que cresceram e os grupos de colegas ganharam importância, foi mais fácil do que eu imaginava voltar a ensiná-los sutilmente a se adequar ou a fazer o que fosse preciso para encontrar um grupinho. Meu próprio medo definiu um padrão de "E aí, o que todo mundo está vestindo?" ou "Por que não convidaram você para a festa do pijama? O que houve?". Preciso ficar sempre alerta para praticar o que acredito como mãe e não dar ouvidos ao medo quando meus filhos estão em apuros.

A importância de voltar a pertencer ao próprio lar se tornou bastante real para mim anos atrás, quando estava entrevistando um grupo de estudantes do ensino médio sobre as diferenças entre adequação e pertencimento. Partilhei esses resultados em *A coragem de ser imperfeito*,[6] mas vale a pena repassá-los aqui também. Quando pedi a um grande grupo de alunos do oitavo ano que se dividisse em equipes menores e adivinhasse as diferenças entre adequação e pertencimento, suas respostas me tiraram o chão:

- Pertencimento é estar num lugar onde você quer estar, e querem você ali. Adequação é estar num lugar onde você quer estar, mas ninguém se importa, de um jeito ou de outro.
- Pertencimento é ser aceito por ser você mesmo. Adequação é ser aceito por ser como todos os outros.
- Se posso ser eu mesmo, eu pertenço. Se tenho que ser como você, eu me adéquo.

Eles arrasaram nas definições. Não importa em que parte do país eu faça essa pergunta, ou o tipo de escola que estou visitando — os alunos do ensino fundamental e médio entendem como isso funciona. Eles também falam abertamente sobre a mágoa de não sentirem a noção de pertencimento em casa. Daquela primeira vez que pedi aos alunos do oitavo ano que bolassem as definições, um deles escreveu: "Não pertencer à escola é bem difícil. Mas não é nada comparado com o que você sente quando não pertence à sua casa." Quando perguntei aos alunos o que isso significava, eles usaram os seguintes exemplos:

- Não atendendo às expectativas dos seus pais.
- Não sendo tão legal ou popular quanto seus pais querem que você seja.
- Não sendo bom nas mesmas coisas em que os seus pais eram.
- Seus pais ficando sem graça por você não ter muitos amigos ou não ser um atleta ou uma animadora de torcida.
- Seus pais não gostando de quem você é e do que gosta de fazer.
- Seus pais não dando bola para a sua vida.

Agora, com esta nova pesquisa sobre o verdadeiro pertencimento, eu sei que a minha tarefa é ajudar meus filhos a acreditar em si mesmos e a pertencerem a si mesmos. Acima de todo o resto. Sim, sempre tem o trabalho de ajudá-los a enfrentar questões envolvendo amigos, e a adequação é algo legítimo para as crianças, mas nossa tarefa principal é proteger esse coração gentil e indomado.

Devemos resistir à ideia de segui-los pela natureza selvagem, tentando torná-la mais segura e civilizada. Cada célula do nosso corpo vai querer protegê-los da mágoa que vem de se firmar sozinho. Mas negar aos nossos filhos a oportunidade de ganhar sabedoria direto das árvores e dançar sob a luz da lua com os outros renegados de agudos solitários e transgressores que mancam só tem a ver com o nosso próprio medo e conforto. O coração deles também precisa conhecer a natureza selvagem.

Na condição de líder, quero cultivar uma cultura de verdadeiro pertencimento. Não quero e não posso me adequar. Na minha conversa com o técnico do Seattle Seahawks, Pete Carroll, fiquei impressionada com a sua resposta quando perguntei quanto tempo havia passado na natureza selvagem. Ele disse: "Ah, é. Eu conheço esse lugar. Já fui demitido na natureza selvagem umas duas vezes. Sei o que costumam aceitar de um treinador da NFL. Mas às vezes você tem que ousar e se arriscar. E existe um tipo especial de resiliência, que vem do escrutínio que acontece na natureza selvagem. Sei que essas experiências me deixaram com uma crença mais verdadeira em mim mesmo, e com uma percepção muito mais apurada de quando não estou seguindo o que acho correto."[7]

A resiliência resultante do escrutínio na natureza selvagem e aquela "percepção muito mais apurada de quando não estamos seguindo o que achamos correto" é a marca de um coração indomado. Imagine uma organização onde uma massa crítica de pessoas está liderando e inovando a partir de um coração indomado, em vez de fazer como todos, se esconder atrás dos redutos e ficar a salvo. Precisamos de uma revolução do coração indomado, agora mais do que nunca.

Se quiser se aprofundar em *Desbravando a natureza selvagem* em casa ou no trabalho, temos guias de leitura (em inglês) para pais e líderes, em brenebrown.com. Na minha experiência, nada muda até passarmos a colocar esse trabalho em prática com as nossas famílias, nossos amigos e colegas. É quando a natureza selvagem ganha vida.

Toda vez que escrevo um livro, sou desafiada a viver sua mensagem. Tive que lidar com o meu próprio perfeccionismo quando escrevi *A arte*. Tive que encarar as críticas e a coragem quando escrevi *A coragem de ser imperfeito*, e tive que questionar todas as histórias que invento para me proteger quando escrevi *Mais forte do que nunca*. Escrever este livro mais pareceu passar meses de vida na natureza selvagem. Eu disse muito ao meu editor, Ben, que devíamos chamá-lo de *Como perder amigos e chatear todo mundo*. Se tiver fortes opiniões políticas, é provável que algo aqui acabe frustrando você. Sei que vai haver muita discordância e debate. Espero que sim. E espero que sejamos impetuosos e gentis uns com os outros.

Este não é um chamado para parar de defender, resistir ou lutar. Farei as três coisas e torço para que você também faça. Nosso mundo precisa que nos posicionemos e defendamos nossas crenças. Só torço para que sejamos civilizados e respeitosos. Quando degradamos e diminuímos nossa humanidade, mesmo em resposta a termos sido degradados e diminuídos, estamos partindo o nosso próprio coração indomado

De todos os chamados à coragem que pedi aos leitores que respondessem na última década, desbravar a natureza selvagem é o mais difícil. É o que mais pode doer. Mas, tal como a citação de Maya Angelou nos lembra, é o único caminho para a libertação.

> A gente só é livre quando vê que não pertence a lugar algum — mas sim a qualquer lugar —, lugar algum mesmo. O preço é alto. A recompensa é ótima.[8]

E com isso deixo vocês. Vai haver momentos em que se firmar sozinho sera muito difícil, assustador demais, e acabaremos duvidando da nossa capacidade de superar a incerteza. Alguém, em algum lugar, vai dizer: "Não faça isso. Você não tem o que é preciso para sobreviver na natureza selvagem." É quando você alcança o fundo do seu coração indomado e lembra a si mesmo: "Eu *sou* a natureza selvagem."

NOTAS

Um: Qualquer lugar e lugar algum

1. Maya Angelou, *And Still I Rise: A Book of Poems* (Nova York: Random House, 1978).
2. Bill Moyers, "A Conversation with Maya Angelou", *Bill Moyers Journal: Original Series*, PBS, transmitida pela primeira vez em 21 de novembro de 1973.
3. en.wikipedia.org/wiki/English_versions_of_the_Nicene_Creed.
4. Anne Lamott, postagem no Facebook, 7 de julho de 2015: "On July 7, 1986, 29 years ago, I woke up sick, shamed, hungover, and in deep animal confusion", facebook.com/AnneLamott/posts/699854196810893?match=ZGV0ZXJpb3JhdGluZw%3D%3D.
5. Maya Angelou, "Our Grandmothers", em *I Shall Not Be Moved* (Nova York: Random House, 1990).
6. *Os bons companheiros*, dirigido por Martin Scorsese (Estados Unidos. Warner Bros., 1990).
7. Moyers, "A Conversation with Maya Angelou". A entrevista e a transcrição completas (em inglês) estão em billmoyers.com/content/conversation-maya-angelou/.

Dois: A busca pelo verdadeiro pertencimento

1. Brené Brown, *A arte da imperfeição: abandone a pessoa que você acha que deve ser e seja você mesmo* (Rio de Janeiro: Novo Conceito, 2012), grifo desta edição.
2. Brown, *A arte da imperfeição.*
3. Charles Feltman, *The Thin Book of Trust: An Essential Primer for Building Trust at Work* (Bend, OR: Thin Book Publishing, 2009), p. 7.
4. Brené Brown, *Mais forte do que nunca: Caia. Levante-se. Tente outra vez.* (Rio de Janeiro: Sextante, 2016).
5. A fonte dessa citação é desconhecida, mas costuma ser atribuída a Joseph Campbell.
6. Moyers, "A Conversation with Maya Angelou".

Três: Agudo solitário: uma crise espiritual

1. John Hartford and the John Hartford Stringband, "The Cross-eyed Child", do álbum *Good Old Boys* (Nashville: Rounder Records, 1999).
2. Roscoe Holcomb, "Man of Constant Sorrow", do álbum *An Untamed Sense of Control* (Washington, D.C.: Smithsonian Folkways Recordings, 2003). Essa tradicional música folk americana (de escritor/compositor original desconhecido) foi lançada pela primeira vez como "The Farewell Song", num *songbook* de Dick Burnett, por volta de 1913.
3. Hank Williams e William S. Monroe (1951), "I'm Blue, I'm Lonesome", gravada por Bill Monroe no álbum *Bill Monroe: The Collection '36—'59* (local desconhecido: Ideal Music Group, 2014).
4. Brown, *A arte da imperfeição.*
5. Bill Bishop, *The Big Sort: Why the Clustering of Like-Minded America Is Tearing Us Apart* (Nova York: Houghton Mifflin, 2008), p. 14.
6. Ibid., p. 39.
7. Joe Bageant, *Deer Hunting with Jesus: Dispatches from America's Class War* (Nova York: Crown, 2007).
8. Veronica Roth, *Divergente*, livro I da trilogia Divergente (Rio de Janeiro: Rocco Jovens Leitores, 2012).

9. D. Khullar, "How Social Isolation Is Killing Us", *New York Times*, 22 de dezembro de 2016, nytimes.com/2016/12/22/upshot/how-social-isolation-is-killing-us.html; C.M. Perissinotto, I.S. Cenzer e K.E. Covinsky, "Loneliness in Older Persons: A Predictor of Functional Decline and Death", *Archives of Internal Medicine* 172(14), 2012, 1.078-83, doi:10.1001/archin ternmed.2012.1993; Associação Americana de Aposentados, "Loneliness Among Older Adults: A National Survey of Adults 45+", setembro de 2010, assets.arp.org/rgcenter/general/loneliness_2010.pdf.
10. John T. Cacioppo e William Patrick, *Solidão: a natureza humana e a necessidade de vínculo social* (Rio de Janeiro: Editora Record, 2011).
11. John T. Cacioppo, "The Lethality of Loneliness" (transcrição do TEDx-DesMoines, 9 de setembro de 2013), singjupost.com/john-cacioppo-on--the-lethality-of-loneliness-full-transcript/, 7 de março de 2016.
12. Cacioppo, citado em K. Hafner, "Researchers Confront an Epidemic of Loneliness", *New York Times*, 5 de setembro de 2016, nytimes.com/2016/09/06/health/lonliness-aging-health-effects.html.
13. R.S. Weiss, *Loneliness: The Experience of Emotional and Social Isolation* (Cambridge, MA: MIT Press, 1973).
14. Brown, *Mais forte do que nunca*.
15. Susan Pinker, *The Village Effect: How Face-to-Face Contact Can Make Us Healthier and Happier* (Nova York: Spiegel and Grau, 2014).
16. J. Holt-Lunstad, M. Baker, T. Harris, D. Stephenson e T.B. Smith, "Loneliness and Social Isolation as Risk Factors for Mortality: A Meta--Analytic Review", *Perspectives on Psychological Science* 10(2), 2015, 227-37, doi:10.1177/1745691614568352.
17. Townes Van Zandt, "If I Needed You", do álbum *The Late Great Townes Van Zandt* (Nova York: Tomato Records, 1972).

Quatro: De perto é mais difícil odiar o outro. Aproxime-se.

1. James A. Baldwin, "Me and My House", *Harper's Magazine*, novembro de 1955, pp. 54-61.
2. Antoine Leiris, post no Facebook, 16 de novembro de 2015 (traduzido do francês). facebook.com/antoine.leiris/posts/10154457849999947.

3. Kailash Satyarthi, TED Talk, março de 2015. ted.com/talks/kailash_satyarthi_how_to_make_peace_get_angry?Language=en.
4. Bill Moyers, "A Conversation with Maya Angelou", *Bill Moyers Journal: Original Series*, PBS, transmitida pela primeira vez em 21 de novembro de 1973.
5. David L. Smith, *Less Than Human: Why We Demean, Enslave, and Exterminate Others* (Nova York: St. Martin's Press, 2012), p. 264.
6. Michelle Maiese, "Dehumanization", *Beyond Intractability*, organizado por Guy Burgess e Heidi Burgess, Conflict Information Consortium, Universidade do Colorado, Boulder, julho de 2003, beyondintractability.org/essay/dehumanization.
7. Ibid.
8. G. Wojciechowski, "Paterno Empowered a Predator", *ESPN*, 12 de julho de 2012, espn.com/college-football/story/_/id/8160430/college-football--joe-paterno-enabled-jerry-sandusky-lying-remaining-silent.
9. Minha entrevista com Michelle Buck ocorreu em 20 de junho de 2017. Você pode ler mais sobre a Dra. Buck e sua pesquisa em kellogg.northwestern.edu/faculty/directory/buck_michelle_l.aspx#biography.
10. Minha entrevista com Viola Davis ocorreu em 21 de maio de 2017.
11. *Histórias cruzadas*, dirigido por Tate Taylor (Estados Unidos: DreamWorks Pictures, Reliance Entertainment, Participant Media, Image Nation, 1492 Pictures e Harbinger Pictures, 2011).
12. *How to Get Away with Murder: Como Defender um Assassino*, produzida por Shonda Rhimes e outros (Los Angeles, C.A.: ShondaLand, NoWalk Entertainment e ABC Studios, 2014-2017).
13. *Um limite entre nós*, dirigido por Denzel Washington (Estados Unidos: Bron Creative, Macro Media e Scott Rudin Productions, 2016).
14. N. Gibbs, "The 100 Most Influential People in the World", *Time*, 20 de abril de 2017, time.com/4745798/time-100-2017-full-list/.

Cinco: Bata de frente com as merdas que ouvir. Seja civilizado.

1. Harry G. Frankfurt, *On Bullshit* (Princeton, N.J.: Princeton University Press, 2005), p. 60.

2. George W. Bush, "President Bush Addresses the Nation", *Washington Post*, 20 de setembro de 2001, washingtonpost.com/wp-srv/nation/specials/attacked/transcripts/bushaddress_092001.html.
3. *Star Wars: Episódio III — A vingança dos Sith*, dirigido por George Lucas (Estados Unidos: Lucasfilm Ltd., 2005).
4. Elie Wiesel, discurso de aceitação do Prêmio Nobel, 10 de dezembro de 1986. nobelprize.org/nobel_prizes/peace/laureates/1986/wiesel-acceptance_en.html.
5. Tweet de Alberto Brandolini, 10 de janeiro de 2013. twitter.com/ziobrando/status/289635060758507521?lang=en. (O tweet original usou "asimmetry" em vez de "asymmetry", mas no fim a ortografia correta foi a que entrou em uso.)
6. Tomas Spath e Cassandra Dahnke, "What is Civility?" (s.d.), instituteforcivility.org/who-we-are/what-is-civility/.
7. Mick Jagger e Keith Richards, *Some Girls*, gravado pelos Rolling Stones (Londres: Rolling Stones Records, 1978).
8. *The West Wing: Nos bastidores do poder*, produzido por Aaron Sorkin e outros (Burbank, C.A.: John Wells Productions e Warner Bros. Television, 1999-2006).
9. *Surpresas do coração*, dirigido por Lawrence Kasdan (Estados Unidos e Reino Unido: 20th Century Fox, 1995).
10. C. Porath, "How Rudeness Stops People from Working Together", *Harvard Business Review*, 20 de janeiro de 2017, hbr.org/2017/01/how-rudeness--stops-people-from-working-together.
11. Minha entrevista com Pete Carroll aconteceu em 10 de maio de 2017.
12. C.G. Jung, "Psychology and Alchemy" (1953), em H. Read, M. Fordham e G. Adler (orgs.) e R.F.C. Hull (trad.), *C.G. Jung: The Collected Works*, 2ª ed., vol. 4 (Princeton, N.J.: Princeton University Press, 1969), p. 19.

Seis: Dê a mão. A completos estranhos.

1. gocomics.com/peanuts/1959/11/12/.
2. youtube.com/watch?v=buTrsK_ZkvA [legendado em português: youtube.com/watch?v=oj_-xh2XKLM].

3. 24 de julho de 2013, twitter.com/TEDchris/status/360066989420584960
4. "95,000 Liverpool Fans", 24 de julho de 2013, youtube.com/watch?v=F_PydJHicUk.
5. D. Linde, "Callin' Baton Rouge" (1978), gravada por Garth Brooks no álbum *In Pieces* (Holıywood, C.A.: Liberty Records, 1994).
6. *Harry Potter e o enigma do príncipe*, dirigido por David Yates (Reino Unido e Estados Unidos: Heyday Films, 2009).
7. Joseph Campbell e Bill Moyers, *The Power of Myth* (Nova York: Anchor Books, 1991). Publicado no Brasil como *O poder do mito* (São Paulo: Palas Athena, 1988).
8. Émile Durkheim, *The Elementary Forms of the Religious Life* (1912), traduzido por J.W. Swain (1915), CreateSpace Independent Publishing Platform, 2016. (Publicado no Brasil pela editora Martins Fontes, com o título *As formas elementares da vida religiosa*, em 1996, com tradução de Paulo Neves.)
9. S. Gabriel, J. Valenti, K. Naragon-Gainey e A.F. Young, "The Psychological Importance of Collective Assembly: Development and Validation of the Tendency for Effervescent Assembly Measure (TEAM)", *Psychological Assessment* 2017, doi:10.1037/pas0000434.
10. Ibid.
11. Ibid.
12. John O'Donohue, "Before the Dawn I Begot You: Reflections on Priestly Identity". *The Furrow*, 57:9 (setembro de 2006), p. 471.
13. Carl Gustav Boberg, "How Great Thou Art", Stuart K. Hine, tradução do hino cristão, 1885.
14. Oliver Sacks, *Musicophilia: Tales of Music and the Brain*, edição revista e ampliada (Nova York: Random House, 2007), p. 329. (Publicado no Brasil pela Companhia das Letras com o título *Alucinações musicais*, em 2007, com tradução de Laura Teixeira Motta.)
15. Sheryl Sandberg e Adam Grant, *Option B: Facing Adversity, Building Resilience, and Finding Joy* (Nova York: Alfred A. Knopf, 2017), pp. 6, 12 e 13.
16. Essa citação, escrita de várias formas, costuma ser atribuída a Alice Roosevelt Longworth (em inglês, "If you don't have anything nice to say,

come sit next to me"); veja por exemplo quoteinvestigator.com/category/alice-roosevelt-longworth/.

17. Susan Pinker, *The Village Effect: How Face-to-Face Contact Can Make Us Healthier and Happier* (Nova York: Spiegel and Grau, 2014), p. 180.
18. Pinker, citado em C. Itkowitz, "Prioritizing These Three Things Will Improve Your Life—And Maybe Even Save It", *Washington Post*, 28 de abril de 2017, washingtonpost.com/news/inspired-life/wp/2017/04/28/prioritizing-these-three-things-will-improve-your-life-and-maybe-even--save-it/?utm_term=.07f8037a95da.
19. Pinker, *The Village Effect*, p. 6.
20. Paul McCartney e Linda McCartney, "Band on the Run", gravada por Paul McCartney e Wings, no álbum *Band on the Run* (Londres, Reino Unido: Apple Records, 1974).

Sete: Costas fortes. Fronte suave. Coração indomado.

1. Joan Halifax, *Being with Dying: Cultivating Compassion and Fearlessness in the Presence of Death* (Boston: Shambhala Publications, Inc., 2008), p. 17.
2. Bill Moyers, "A Conversation with Maya Angelou", *Bill Moyers Journal: Original Series*, PBS, transmitida pela primeira vez em 21 de novembro de 1973.
3. "Hi, everyone. A couple of quick thoughts on all these tender things", post no Facebook, 31 de outubro de 2016, facebook.com/jenhatmaker/posts/1083375421761452.
4. Moyers, "A Conversation with Maya Angelou".
5. Jung, *Psychology and Alchemy (Collected Works of C.G. Jung, Vol. 12)*, 2ª ed. (Princeton, N.J.: Princeton University Press, 1980), p. 15.
6. Brené Brown, *A coragem de ser imperfeito: Como aceitar a própria vulnerabilidade, vencer a vergonha e ousar ser quem você é* (Rio de Janeiro: Sextante, 2016).
7. Entrevista da autora com Pete Carroll em 10 de maio de 2017.
8. Moyers, "A Conversation with Maya Angelou".

AGRADECIMENTOS

À equipe do BBEARG

Sou profundamente grata a Suzanne Barrall, Cookie Boeker, Ronda Dearing, Olivia Durr, Lauren Emmerson, Barrett Guillen, Sarah Margaret Hamman, Jessica Kent, Charles Kiley, Hannah Kimbrough, Bryan Longoria, Murdoch Mackinnon, Susan Mann, Mashawn Nix, Julia Pollack, Tati Reznick, Deanne Rogers, Ashley Ruiz, Teresa Sample, Sarayu Sankar, Kathryn Schultz, Anne Stoeber, Genia Williams e Jessica Zuniga.

#bravertogether

À equipe da Random House

Um agradecimento enorme ao meu editor de agudo solitário, Ben Greenberg (os tacos são por minha conta).

E para a equipe da Random House, Gina Centrello, Andy Ward, Theresa Zoro, Maria Braeckel, Lucy Silag, Christine Mykityshyn, Leigh Marchant, Melissa Sanford, Sanyu Dillon, Jessica Bonet, Loren Noveck e Kelly Chian — obrigada pelo bom trabalho e por todas as broncas difíceis. Eu amo chamar a Random House de "minha casa".

À equipe da William Morris Endeavor

Para a minha agente, Jennifer Rudolph Walsh, e toda a equipe da William Morris Endeavor, sobretudo Tracy Fisher e Eric Zohn, obrigada por caminharem ao meu lado.

À equipe da DesignHaus

Para Wendy Hauser, Mike Hauser, Jason Courtney, Daniel Stewart, Kristen Harrelson, Julie Severns, Kristin Enyart, Annica Anderson, Kyle Kennedy — obrigada pela magnanimidade criativa.

À equipe de Newman and Newman

Obrigada a Kelli Newman, Linda Tobar, Kurt Lang, Raul Casares, Boyderick Mays, Van Williams, Mitchell Earley, John Lance e Tom Francis.

À equipe de casa

Amor e gratidão a Deanne Rogers e David Robinson, Molly May e Chuck Brown, Jacobina Alley, Corky e Jack Crisci, Ashley e Amaya Ruiz; Barrett, Frankie e Gabi Guillen; Jason e Layla Brown, Jen, David, Larkin e Pierce Alley, Shif Berhanu, Negash Berhanu, Trey Bourne, Margarita Flores, Sarah Margaret Hamman, Polly Koch e Eleanor Galtney Sharpe.

Aonde meu coração indomado pertence de verdade

Para Steve, Ellen e Charlie — vocês são o meu lar. *Junto com Daisy, Lucy e Sticky.*

Este livro foi composto na tipografia
Minion Pro, em corpo 11/16, e impresso
em papel off-white no Sistema Cameron da
Divisão Gráfica da Distribuidora Record.